蔬菜 果树 烟草
优质高效栽培技术

主　编　李广胜
副主编　乔文斌　张金生

黄河水利出版社

图书在版编目(CIP)数据

蔬菜 果树 烟草优质高效栽培技术/李广胜主编.
郑州:黄河水利出版社,2002.6(2010.3重印)
ISBN 7-80621-568-9

Ⅰ.蔬… Ⅱ.李… Ⅲ.①蔬菜园艺 ②果树园艺
③烟草-栽培 Ⅳ.①S6 ②S572.04

中国版本图书馆CIP数据核字(2002)第030887号

出版社:黄河水利出版社
地址:河南省郑州市顺河路黄委会综合楼14层 邮政编码:450003
发行单位:黄河水利出版社
发行部电话:0371-66026940 传真:0371-66022620
E-mail:hhslcbs@126.com
承印单位:黄河水利委员会印刷厂
开本:850mm×1 168mm 1/32
印张:7.75
字数:191千字 印数:4 001~8 000
版次:2002年6月第1版 印次:2010年3月第2次印刷

书号:ISBN 7-80621-568-9/S·40 定价:12.60元

序

科学技术是第一生产力,科技进步已成为经济发展的决定因素。党中央、国务院作出了对我国经济结构进行战略性调整的决策,作为国民经济的基础产业,农业结构的调整尤为重要。我们必须改变古老的、粗放的传统生产方式,使农业结构调整朝着优质、高产、高效的方向发展,改变过去那种完全着眼于国内市场的发展模式,不断引进新品种,学习新技术,进一步开拓国际市场。

中国加入世贸组织,这既给我国农业发展提供了难得的发展机遇,同时也带来了更加严峻的挑战,这就要求我们将经济发展转移到依靠科技进步和提高劳动者素质的轨道上来。在经济全球化的时代,每个农民都毫不例外地被推向了市场,要想在市场经济的大潮中求生存,求发展,使自己立于不败之地,就必须学习科学技术,提高自身素质,增强在市场经济环境中的创业能力。

编写这本书的目的就是为了适应农村种植业结构调整的需要,满足广大农民学习蔬菜、果树、烟叶先进生产技术的需要,帮助农民朋友迅速走上富裕之路。就目前的情况看,每人平均只有一亩耕地,要在有限的土地上创造良好的经济效益,必须摈弃传统的种植模式,采用先进的农业生产技术,以达到农业增效、农民增收的目的。

编者多年来一直在农业生产第一线工作,通过不懈的“实践—认识—再实践—再认识”循环往复的过程,积累了比较丰富的实践经验,并在博采众家之长、参阅大量文献的基础上,比较系统地编写了《蔬菜 果树 烟草优质高效栽培技术》一书,该书将由黄河水利出版社正式出版,这是一件很有意义的工作。作为农业战线的科技工作者，我感到非常喜悦，并很高兴为之作序，我期待着该书的出版发行，这将对我们发展优质高效农业起到积极的推动作用。

本书的特点非常突出，一是面向农村、面向生产，介绍了当前农村推广使用和即将使用的新技术。二是实用性强，注重方法和实践。三是图文并茂，较系统地介绍了主栽品种的生物学特性、栽培管理及病虫害防治知识。四是通俗易懂，贴近农民的文化层次和接受能力。

由于编写时间短促，篇幅容量有限，加之现代科学技术的飞速发展，书中内容并不是完美无缺。希望广大农民朋友在农业生产实践中不断总结新的经验，积极学习和探索新技术和新方法，与时俱进，有所创造。

河南农业大学植物保护学院
院长、教授、硕士生导师

2002年5月

目　录

蔬　菜　篇

果　树　篇

烟 草 篇

蔬 菜 篇

第一章 日光温室及塑料大棚的建造

随着我国农业种植业结构的战略性调整,农业走优质高产高效和可持续发展的道路已势在必行。近年来,日光温室、塑料大棚及中小拱棚发展很快。河南的地理位置和气候特征比较适宜种植大棚蔬菜。为了使广大农民在实践中便于操作,现就大棚的结构和建造给以介绍。

第一节 温室的建造

一、冬季生产型温室

1.通用型温室

后墙用砖砌,厚度为0.5m,墙体高1.7m左右,屋脊高2.2~2.3m,后墙至脊柱肩距1.2m。拱杆用圆钢或镀锌钢管,间宽3~3.3m,每间后墙设一通风孔,后坡多采用水泥盖板,栽培床跨度为5~5.5m。通用型生产温室示意图如图1-1。

2.生产、育苗兼用型温室

我国大部分地区,无论是设施栽培,还是露地栽培,大多采用育苗移栽。因此,培育壮苗是生产过程中的一个重要环节。一般栽培床跨度为5.5~6m,后墙到栽培床间距为1.2m,后墙高为

2.2m 左右。墙体类型有单墙、夹皮墙，脊高 2.5～3m，距南沿 1m 处拱高 1m 左右。这类温室可用于营养钵及盘立体育苗，即分层育苗，加强空间利用。前屋可用竹木建材，也可用水泥柱加竹拱杆，也可用钢筋骨架和镀锌钢管拱架。用什么建材可据经济条件而定。

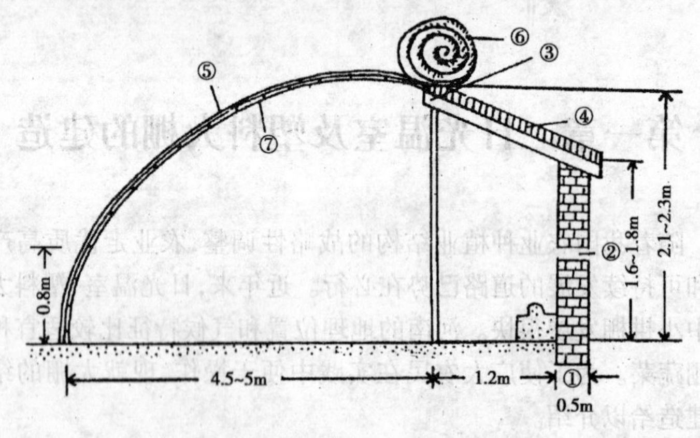

图 1-1　北京通用型生产温室示意图

①砖墙　②通风孔　③屋脊　④盖板

⑤塑料薄膜　⑥蒲苫　⑦拱杆

二、全日光温室

全日光温室又叫节能型温室。因它是利用太阳能作能源，一是节省煤，二是卫生安全，三是提高土壤利用率 20% 以上，所以，这类温室近年来发展快，很受群众欢迎。这一模式，适用于北纬 33°～43°之间的广大地区。

图 1-2～图 1-5 为各种日光温室示意图。

1. 设计与建造

要遵循白天采光性能好，升温快，同时保证散热慢的原则。要求当地最低温时，室内气温仍可达到 8℃ 以上，土层 10cm 深度地温可达 10℃。

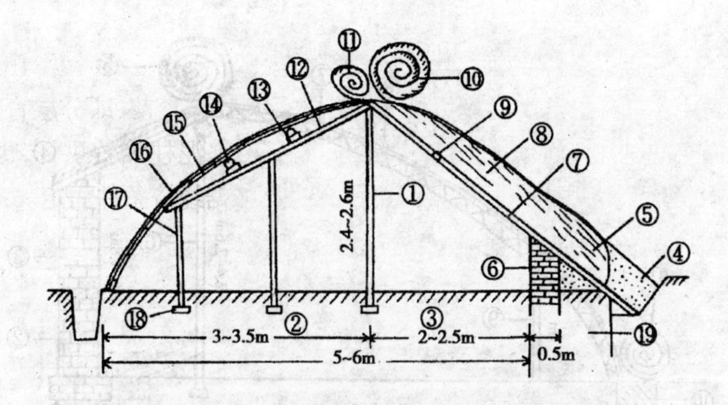

图 1-2　辽宁省海城市感王式日光温室示意图

①中柱　②中柱前部　③中柱后部　④后防寒沟　⑤防寒土
⑥后墙　⑦柁　⑧后坡覆盖物　⑨檩　⑩草苫　⑪纸被
⑫拱杆架梁　⑬横向联结梁　⑭吊柱　⑮拱杆　⑯薄膜
⑰前支柱　⑱基石　⑲后墙外填土部位

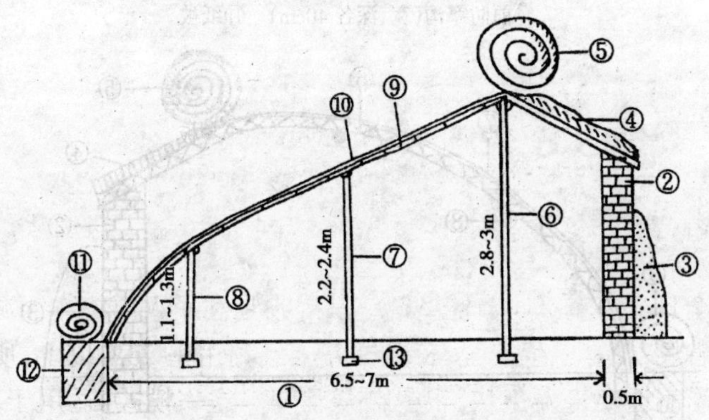

图 1-3　大连市瓦房店式日光温室示意图

①栽培床面宽　②后墙　③防寒土(厚约 1m)　④后屋面覆盖物
⑤草苫　⑥中柱　⑦二柱　⑧前柱　⑨拱杆　⑩薄膜　⑪纸被
⑫前防寒沟(宽 30～40cm,深 40～50cm)　⑬基石

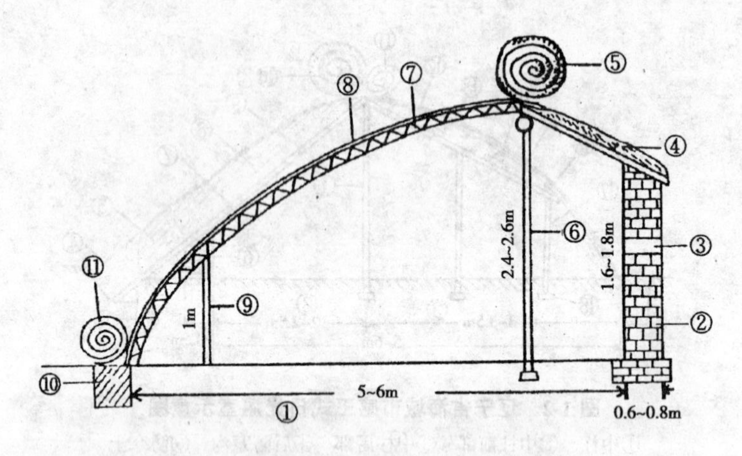

图 1-4　北京地区钢拱杆式日光温室示意图

①跨度(5～6m)　②后墙　③通气孔　④后屋面(仰角 25°～30°)
⑤草苫　⑥中柱　⑦人字形拱架　⑧薄膜　⑨前沿高(1m)
⑩前防寒沟(宽、深各 40cm)　⑪纸被

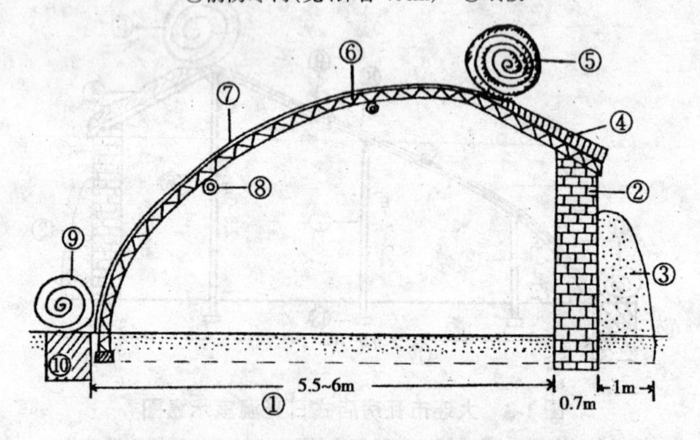

图 1-5　鞍山市钢架式日光温室示意图

①跨度　②后墙　③后墙外填土　④后屋面　⑤草苫
⑥人字形钢拱架　⑦薄膜　⑧横向连接梁　⑨纸被　⑩前防寒沟

一般用竹结构骨架时，投入和产出比为1∶4左右，高者达到1∶5；而在同等条件下，加温温室的投入产出比为1∶1。所以，竹结构全日光温室是建温室的首选模式。

2.建造中的有关数据

(1)高度：指地面到屋顶，在河南一般不超过3m。合理的高度，可提高采光量，增加蓄热量。

(2)跨度：所谓跨度是指温室南侧底脚至北墙内侧之间的宽度。以6.5m为宜，低于北纬40°或冬季气温较高的地区，跨度以6～7m为宜。

(3)长度：一般长度50m左右为宜。

(4)前后屋面的角度：日光温室的屋面角，是指前屋面角，即塑料薄膜屋面与地平面的夹角。北纬40°以南地区，日光温室采光屋面的角度应保持23°～25°，北纬40°以北地区，应保持25°以上。采用拱圆型的，它的底脚部分夹角为50°～60°，中段20°～30°，上段为15°～20°。日光温室后屋面的角度，决定于屋脊与后墙的高差及后屋面的水平投影长度。后屋面宽1～2.5m不等，后屋面保持有15°～30°的仰角。

(5)墙体和后屋面的厚度：据了解，在北纬35°左右的江淮平原和华北平原南部，土墙厚度在0.8～1.0m之间；炉渣空心砖砌墙，在北纬35°地区，其厚度要达到0.5～0.6m。在北纬38°～40°地区，炉渣空心砖砌墙厚度包括墙体可达0.8～1.5m。后屋面的总厚度应达到0.7m以上。

(6)后屋面水平投影宽度：由于后屋面的传热系数比前屋面小，所以长后坡的温室白天升温较慢，但夜间降温也慢。清晨揭草苫时温度稍高些。反之，短后坡的温室，白天升温快，夜间降温也快，揭草苫前温度稍低些。因此，北纬40°以北地区，6m跨度的日光温室，后屋面不宜太短，其水平投影不宜少于1.5m。北纬40°以南，7m跨度的温室，其后屋面水平投影不宜小于1.2m。

(7)薄膜:覆盖大棚用的透明物为塑料薄膜。我国有聚乙烯树脂和聚氯乙烯树脂两种。厚度为0.1～0.12mm,幅宽1～7m。东北地区一般用聚氯乙烯薄膜,北京以南地区,多用聚乙烯薄膜,其特点是耐老化(使用1年以上),保温、无滴、阻隔紫外线。有条件的可用以色列、荷兰等国的进口薄膜,这种膜透光性好,使用寿命长。

(8)压膜线:可用8号铅丝、尼龙绳、聚丙烯绳或细竹竿。用铅丝作压膜线吸热快、温度高、易生锈。尼龙绳或聚丙烯绳的伸缩性大,不易压紧薄膜,本身也易老化。细竹竿固定效果虽好,但要在膜上穿孔,捆牢,有时会造成薄膜破损。专用扁型压膜线,可用2～3年,伸缩性小、强度大、效果好。

(9)草苫和纸被:目前生产上使用最多的是稻草苫,其次是蒲草、谷草及山草编制成的草苫。特点是保温效果好,取材方便。在寒冷的季节,为了弥补草苫保温能力的不足,可以在草苫下面加盖纸被。纸被是用4层旧水泥纸袋或4～6层新牛皮纸缝制成和草苫大小相仿的一种保温覆盖材料。一般3～4cm的草苫能保温4～10℃(见表1-1)。但各地气候不同,如晴、阴、雨、雪,其热量都不一样,保温效果也不一样。

(10)防寒沟:沿着日光温室前底脚外侧挖的一条地沟,内填干草、马粪或细碎秸秆等导热率低的材料。沟深一般40～60cm,宽30～40cm。

(11)通风口:给温室通风换气是温室生产中最重要而经常性的一项工作。作用主要是降温、排湿、补充二氧化碳,有时还利用通风换气排除有害气体。一般设两排通风口,一排近屋脊处,高温时易排出热气。另一排设在南屋面前沿离地1m高处,主要是换进气体。太低易使冷空气进入室内,出现“扫地风”使作物受冻害。

冬暖型单坡面塑料大棚(80m长)用料见表1-1。

表 1-1　冬暖型单坡面塑料大棚(80m 长)用料明细表

材料名称	规　　格	单位	数量	用　　途
水泥立柱	320cm×12cm×10cm	根	44	后立柱
	300cm×12cm×10cm	根	22	中后柱
	230cm×10cm×8cm	根	22	中前柱
	140cm×10cm×8cm	根	22	前立柱
竹竿	长 700～800cm,小径粗 8cm	根	55	拱杆、拉杆
	长 600～700cm,小径粗 5cm	根	15	小拉杆
	长 400～500cm,粗 2.5cm	根	400	夹膜杆
铁丝	8 号	kg	300	东西向拉、支承棚面
	12 号	kg	30	捆绑接头
	10 号	kg	15	绑细竹竿压膜
塑料薄膜	聚氯乙烯无滴膜厚 0.08～0.12mm	kg	120	透明覆盖大棚面
草苫	长 900cm,宽 120cm,厚 5cm	个	80	不透明覆盖保温
拉绳	长 18m、粗 1.5cm 的麻绳	根	80	拉放草苫
斜梁	长 1.5m、径粗 8～10cm 的木棒	根	80	建后坡斜梁
其他	重 15kg 以上的石头或水泥块,小屋用料、门及附件	块	54	固定 8 号铁丝两端

第二节　塑料大棚的建造

为了与日光温室区别，我们把没有用土墙、砖墙或其他墙壁，而是用各种材料作支架形成一定空间，支架上面覆盖塑料薄膜，占地面积宽 6m 以上、长 30m 以上、高 1.8m 以上的设施，称为塑料大棚。

一、竹木结构塑料大棚

竹木结构塑料大棚（如图 1-6 所示），一般宽 12～14m，设 6～8 排立柱，最外边两排立柱要稍倾斜，以增强牢固性。拉杆起固定立柱、联结整体的作用。拱杆起保持固定棚体形状的作用。拱杆间距一般为 1～1.2m，覆膜时在大棚中间最高点处和两肩处设 3 个换气口，换气口处薄膜要重叠 15～20cm。

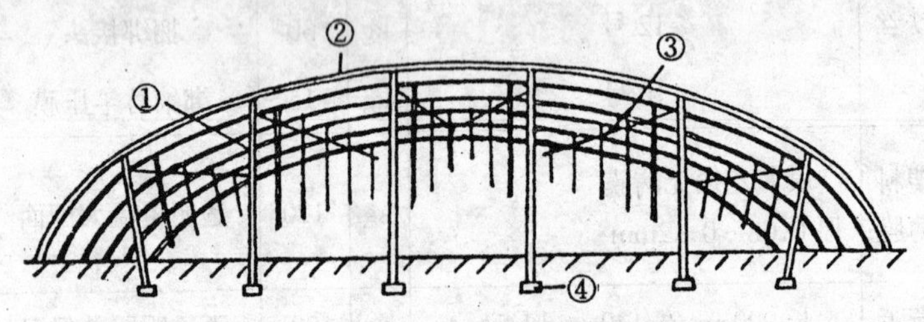

图 1-6　竹木结构塑料大棚示意图

①立柱　②拱杆　③拉杆　④立柱横木

二、混合结构塑料大棚

混合结构塑料大棚是指用钢材、水泥、竹木等材料建成的塑料大棚（如图 1-7 所示）。比纯竹木结构坚固耐用，但成本要高些。水泥立柱断面为 12cm×10cm，内有 ϕ6 钢筋 4 根。立柱顶端留 V 形缺口，以便架设拱杆。缺口往下 5cm 和 30cm 处各留孔眼，供架设和固定拱杆使用。

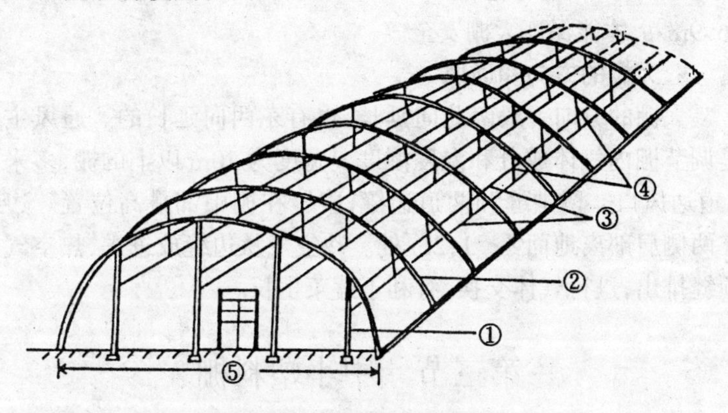

图 1-7 混合结构塑料大棚示意图

①立柱 ②竹子拱杆 ③拉杆 ④短柱 ⑤宽 10～14m

三、塑料大棚的有关数据

1.场地选择

建棚的选址要考虑到地形及周围环境。建造处应地势平坦，东西南三面不应有任何遮阴物，土壤要肥沃，棚内排灌条件良好。

2.面积和宽度

以 0.6 亩为宜，跨度以 6～8m 为宜。钢管拱架组装式单栋大棚宽度大多 10m，也有 12m 的。

3.大棚的高度和长度

竹木结构中高 1.8m，肩高约 1m。钢筋结构，跨度 12m，顶高 3m，肩高 1.2m。棚的长度 50m 左右较合适。棚间距要保持 2m 以上。

4.大棚抗风雪力的设计

如果棚体曲率小，积雪不易自然滑落，势必加重负荷，甚至把棚压塌。当积雪达 30cm 厚时，雪荷载要求达到 20～22.5kg/m^2，风力8级时，风速可达17.3～20.7m/s，则风荷载要能承受18.3～26.9m/s，才能保证大棚安全。

5.大棚的方向和通风

大棚的方向一般南北向延长，也有东西向延长的。通风主要是调节棚内气体成分和温度湿度。宽度为10m以上的棚，多采用3道通风口。留中缝和两道边缝，中缝在棚中部最高位置。边缝在两侧肩部离地面1～1.2m处。冷空气从边缝放进去，热空气从顶缝排出，进行气体交换，有利于蔬菜生长。

第三节　中小塑料棚

一、塑料中棚

1.竹木结构单排柱塑料中棚

竹木结构单排柱塑料中棚，宽度在6m左右，高度1.7m，每隔3m设一支柱，上端和离柱顶约20cm处用木杆或竹竿成纵向连接牢固。用竹片或细竹竿做拱架，两端插入地下。拱架间要用几道拉杆固定牢，形成一个统一整体，上盖塑料薄膜即可。其切面示意图如图1-8。

2.钢筋、钢管拱架塑料中棚

钢筋、钢管拱架塑料中棚结构是按一定的尺寸焊接而成。一般不设支柱，坚固耐用，管理方便。

二、塑料小棚

1.圆拱形塑料小棚

圆拱形塑料小棚宽度为1.5～2.5m，高1～1.5m，长度按地势而定。用于春、秋、冬季生产韭菜、芹菜、菠菜、油菜等，下茬可生产茄果类蔬菜。根据温度的变化可加盖草苫保温。

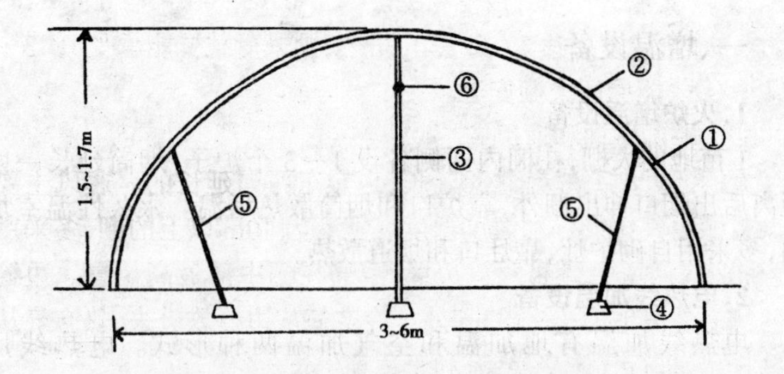

图 1-8 竹木结构的塑料中棚切面示意图

①竹片或竹拱杆 ②薄膜 ③木桩或粗竹竿支柱
④固定支柱的底座 ⑤侧柱 ⑥连接拉杆处

2.圆拱形临时性小棚

圆拱形小棚用于春、秋延后等蔬菜生产和临时性覆盖。如春季大棚黄瓜,定植后没有加温设备时,为了增加温度、防寒保苗常采用小拱棚临时覆盖。早春定植露地油菜,为了缓苗,加速生长,也多采取短期小拱棚覆盖。这种方式灵活机动,拆卸方便,保温效果好。

3.半圆拱形固定式小拱棚

半圆拱形固定式小拱棚本属于日光温室范畴,但因矮小,因此称它为小拱棚。其特点是:北侧有1～1.2m高,0.5m厚的矮土墙或砖墙,中高约1.3m,宽度3m左右。结构用竹竿、竹片或钢筋。为增强牢固性,每隔5m,设一立柱,用φ6钢筋或8号铅丝作拉线,拉线与立柱顶端紧紧固定,然后将拱杆用细铁丝或绳捆绑在拉线上或支柱顶部,用钢筋拱架时,一般不用立柱。

第四节 日光温室中的配套设备

日光温室中的配套设备主要有增温设备、保温设备、简易农机具和植保设备。

一、增温设备

1.火炉增温设备

1 亩地的大棚,在棚内两侧各设 1～3 个炉子,烟筒延长一段距离后出烟口伸出棚外,靠炉口和烟筒散热增温。永久性温室加温,多采用自砌炉灶,靠灶口和烟道散热。

2.电热线加温设备

电热线加温有地加温和空气加温两种形式。电热线用 0.6mm 的 70 号碳素合金钢线作电阻,外用耐热性强的乙烯树脂包裹作为绝缘层,控制电热温床的温度多采用电子继电器控制。只要电工按设备说明将各种配件组装起来即可使用。电热线空气加温时,把电热线架在温室内,通电即可达到增温的目的。

3.热风炉加温设备

热风炉加温是利用输送加热后的空气提高棚室内温度,一般烟煤都能使用。热空气预热时间短,升温快,操作容易,性能较好,比水暖简单,成本也比水暖低。配热方式有上位吹出和下位吹出式两种。

二、保温设备

1.草苫类

草苫类保温设备主要是用蒲草加部分芦苇秆为原材料,加工成 2.3m 左右宽、3～5cm 厚的草苫。长度因棚而定。

2.薄膜多层覆盖

为增加保温性能,争取早育苗、早定植、早上市,获得好的经济效益,可采取多层覆盖。如温室、大棚内,在距玻璃、薄膜 15～30cm 处的空间,架设铁丝等物,作为承受架,再盖一层薄膜,形成双层覆盖。增加一层覆盖可增温 2～4℃,相当于多盖一层草苫。

3.纸被覆盖

除了用草苫和多层薄膜覆盖外,还可用 4～7 层牛皮纸或白灰袋、水泥袋包装纸，缝在一起作保温材料，覆盖在玻璃或薄膜上面或在蒲草、稻草苫下面，也有很好的隔热保温作用。

另外，还有挖防寒沟，大棚保温幕，应用无纺布、围膜等保温方法。

第二章　大棚主要蔬菜栽培技术

第一节　番茄的栽培

番茄是一年生茄科蔬菜，它原产于南美洲热带的秘鲁、智利等地，在我国有近百年的栽培历史。由于它富含维生素 A、维生素 C、矿物质等，已成为人们日常生活中不可缺少的重要蔬菜之一。

一、生物学特性

1.形态特征

番茄根系比较发达，故移栽和扦插易成活，可进行无性繁殖。茎为半直立或半蔓性。叶为单叶，羽状全裂。花为聚伞形花序，完全花。一般花为黄色，每花序 5～10 朵。自花授粉，开花结果习性有无限生长型和有限生长型。

2.对环境条件的要求：

番茄是喜温性蔬菜。在 15～35℃的温度范围内均可生长，营养生长期间的适宜温度为 20～25℃，开花结果期的适温稍高，但不宜高于 30℃，温度过低，尤其是夜间低温，会引起授粉不良及落花。番茄是喜光作物，光照不足会引起徒长和落花。对日照时数的要求不很严格。

栽培番茄的土壤以排水良好、肥沃的沙质壤土为宜。幼苗期土壤湿度为 60%左右，结果期 80%左右。湿度过大易引起病害，过低会抑制生长。幼苗期，增施磷肥能促进根系生长；第一穗果膨大前期吸收氮肥较多，结果盛期达到高峰。果实膨大期需要更多的钾，因为钾可以促进果实品质提高。

二、栽培季节及育苗

1.栽培季节

采用春用型单坡面大棚,可于12月中旬播种育苗,2月中旬定植。秋延迟栽培,8月下旬播种,9月下旬至10月上旬定植。12月份开始采收。采用冬暖型大棚越冬茬栽培,在8月下旬播种育苗,10月中旬定植,元旦左右可以上市。

2.营养土的配制

营养土应选择未种过茄果类蔬菜的沃土园地,土和圈肥按4:6配制。每立方米土中加入腐熟过筛粪干或干鸡粪25kg,磷酸二铵0.5~1kg,草木灰5kg或硫酸钾0.5kg,加入50%托布津粉剂100g。充分拌匀后填入育苗畦。

3.种子处理

种子用清水浸3~4小时,漂去瘪籽和杂质。然后放在40%福尔马林100倍液中浸15~20分钟,捞起后用湿布包裹,放入容器内密闭2~3小时,然后用清水洗净;或者用55℃的水浸种15分钟。捞出后用纱布包好放在25~30℃的地方保温保湿催芽。催芽期间,每天用清水冲洗种子1~2次,一般经过2~3天即可出芽播种。

4.播种

在大棚内进行温床育苗或者冷床育苗,播种量每亩30~55g。先将苗床浇足底水,待水渗完以后,可往畦面撒一层细土后再播种。以防泥浆粘种,影响幼苗出土。将种子掺少量细湿土或细沙撒播,易播匀。每25g种子约播3m² 苗床。播后覆薄土一层,再铺上稀疏稻草,盖上一层地膜。这样,白天棚温保持在25~30℃。一般在播后4天即可出苗。

5.苗期管理

苗子出齐后,揭去地膜逐步降温,白天保持在25℃左右,夜间保持在15℃左右，以防徒长。幼苗1～2个真叶时一次移苗进钵(约播后30天)，进钵后白天保持28℃，夜间保持在18℃，有利于成活。缓苗后，温度再降至番茄正常生长的温度，即白天20～25℃，夜间10～15℃，这样经过变温炼苗，可增强幼苗的抗逆性，培育壮苗。在严寒到来之前，更要注意幼苗的越冬锻炼，以提高抗寒能力，1～2月份要做好防冻保暖工作，避免冻害。

三、定植与管理

1.整地作畦，施足底肥

番茄是一种需肥量大的蔬菜，所以要施足基肥，氮、磷、钾三要素的配比为1:1:2。亩施腐熟肥3 000kg，50kg过磷酸钙，100kg草木灰或50kg氮磷钾复合肥，先将肥撒施地面，再深翻30cm入地下。然后整细耙平，做成畦以备栽植，要在定植前一周把地整好。

2.定植

每畦两行，株距为30cm，行距50cm，每亩约4 400棵。早熟品种可以加大密度，晚中熟品种可适当稀植。定植后覆盖地膜，可同时盖两垄，覆膜时，先将地膜拉平拉紧，对准栽上的幼苗在膜上做孔，从膜孔内掏苗落膜。盖好膜后，立即浇水。

3.定植后的管理

(1)温度管理：10月上旬定植后，白天温度可控制在25～28℃，夜间16～20℃，有利于缓苗。从缓苗到开花期，白天22～26℃，夜里13～15℃。果实膨大期白天25～28℃，夜间15～17℃。

(2)肥水管理：氮肥要适当控制，以防徒长。在第一穗果实膨大期进行第一次追肥，亩施复合肥10kg或尿素5kg，过磷酸钙25kg。最好再施栏肥2 500kg，并清沟培土，第二次追肥是2～3穗果实膨大期，亩施复合肥30kg，第3次施肥在4～5穗果实膨大期,亩施复合肥 20kg。如坐果多,出现脱肥现象可增加追肥次数和用量。浇水时间和次数,应根据棚内土壤湿度和植株生长情况而定。一般 7~10 天浇一次水,盛果期可适当加大水量。盖地膜的,以膜下滴灌最理想。雨后注意排水,防止涝灾。

(3)整枝摘心:无限生长型采用一杆或双杆整枝。早熟高身品种增加种植密度可以采用单整枝。即只留一个主茎,陆续摘除其余侧枝。双干整枝,即除留主茎外,再保留第一花序下的一个侧枝,其余侧枝全部摘除。

(4)打顶抹杈:一般按计划留足 4~6 穗果,在末一果穗上留两片叶打顶(摘心),早熟品种留 2~3 穗果打顶。经过打顶后,顶端优势受到抑制,会在叶腋里长出侧芽,要及时抹除,否则过多消耗养分,影响果实发育。

(5)保花保果:大棚栽培番茄,由于环境条件的影响,如低温、高湿度、光照不足等,造成开花不正常,影响番茄授粉、受精,引起落花落果。为了提高坐果率,必须用植物生长调节剂保花保果。生产上主要采用 2,4-D 和番茄灵,2,4-D 的使用浓度为 0.001 5%~0.002%。当第一花序有 2~3 朵花开放时,用毛笔蘸上药液涂抹花梗,或将花在药液中略浸一下,但不要将药液弄到茎叶上,以防发生药害,损害茎叶。

(6)疏花疏果:若由于激素或环境的影响,坐果太多,易造成果实大小不一致,影响果实品质,因此要尽早疏花疏果。一般早熟品种果形小,每穗可留果 4~5 个,中晚熟品种,果形较大,每穗可留果 3~4 个。

(7)果实催红与采收:对早期青熟果实进行株上催红,用 0.05%~0.1%乙烯利涂果面,可提早 5~7 天上市。既可卖好价钱,又有利于植株上幼果的生长。番茄成熟后会呈现各种色泽,营养价值最高,便于陆续采收。

四、品种介绍

大棚番茄的早熟栽培，要选用抗寒性强、耐弱光、植株开展度小、分枝性弱、节间短、适宜密植的抗病、早熟、高产品种。

(1)早丰2号：株高70～85cm，生长势强，早熟、大红色果，坐果率高，抗病，品质好，抗烟草花叶病毒病。每亩产量6 000～10 000kg。

(2)丽春：中国农业科学院蔬菜花卉研究所选育。坐果率高，品质上等，单果重120g以上，栽植密度为4 000～4 500株/亩。

(3)双抗1号：由北京市农业科学研究院蔬菜中心选育。属早熟自封顶类型的杂交一代良种。因抗病毒病、叶霉病而得名，果粉红色，每亩密度5 500～6 000株为宜。

(4)双抗3号：由北京市农业科学研究院蔬菜中心选育。早熟品种，生长势强，抗病毒病和叶霉病，果圆形，色粉红。单果重150～250g，亩产可达4 000kg。

(5)大强：大连市农科所选育。属中早熟杂交一代良种。主茎6～7节出现第一花序，隔2～3节出一花序，果实扁圆形，粉红色，平均单果重165g，味酸甜可口，较抗病毒病。

(6)毛粉802：为无限生长类型。长势强，主茎第9～10节着生第一花序，果实集中且大而圆，为粉红色，平均单果重150g，晚熟种，生长期210天左右。维生素C含量高、品质佳、风味好，一般一亩地可产果6 000kg。抗病毒病和早疫病。

五、病虫害防治

番茄常见的病害有早疫病、病毒病、灰霉病、叶霉病、青枯病等。主要虫害有蚜虫和白粉虱。及时防病治虫，可提高番茄的产量和品质。

1.早疫病

(1)症状：是以叶片受害为主，茎和果实均可发病。病菌侵入叶片后，最初出现水渍状暗褐色病斑，扩大后近圆形，上有同心轮纹，在潮湿情况下病斑长出黑霉。发病先从植株下部叶子开始，逐渐向上蔓延，严重时下部叶子枯萎死亡。茎和果实发病后初期为暗褐色椭圆形病斑，扩大后凹陷，具有黑霉和同心轮纹，发病严重的果实裂开，病部硬化。

(2)发病原因：属真菌性病害。病菌以菌丝体、分生孢子附着在病植残体，在土壤和种子上越冬成为翌年初侵染的病原。病菌以分生孢子以雨水、露点传播，由植物气孔、皮孔及表皮直接侵入，经过4～6天产生出大量分生孢子，进行扩大再次侵染。高温多湿有利于早疫病的发生和发展，在气温15℃，相对湿度80%以上开始发病。气温到达20～25℃，连阴天病情发展较快。

(3)防治方法：①加强栽培管理，选用抗病品种。②发现病斑后，及时喷64%杀毒矾可湿性粉剂500倍液，70%代森锰锌可湿性粉剂500倍液，75%百菌清可湿性粉剂600倍液，每隔6天左右喷一次。

2.病毒病

(1)症状：花叶型病毒侵染叶片后，出现明脉，皱缩，顶叶生长慢，落花落果，果小质劣。蕨叶型病毒侵染后，新叶变为线状，病株变矮小，呈黄绿色。条斑型病毒侵染后，在茎秆上形成暗绿色到深褐色条纹，表面下陷坏死，果实受害而畸形，果实表面出现不规则的褐色凹陷坏死斑。

(2)发病原因：病原为烟草和黄瓜花叶病毒。病毒存在于病残植株及杂草上，种子也可以带毒，由蚜虫迁飞传染或接触汁液传染。土壤瘠薄、用氮肥过多、地势低洼、排水不良、高温干旱，均有利于该病发生。

(3)防治方法：①选抗病品种，培育壮苗，加强管理，增施磷钾肥。②播前进行种子消毒，用10%磷酸三钠溶液浸泡20～30分钟，捞出用清水冲洗，然后继续浸种催芽播种。在操作时，手和工具要用0.1%的高锰酸钾溶液消毒，预防接触时传染。用40%氧化乐果乳油1 500倍液及时灭蚜虫,杀死传毒媒介。还可试用菌毒清可湿性粉剂 400 倍液,或抗毒剂 1 号水剂 300 倍液,每隔 7 天左右喷一次。

3.叶霉病

(1)症状:发病初期,在叶片的背面有淡绿色病斑,潮湿时产生灰紫色或黑褐色霉状物,病叶枯黄,自上而下蔓延,使全株染病。果实上病斑一般环绕在蒂部,呈圆形,为黑色,后逐渐硬化。

(2)发病原因:病原菌为真菌中的半知菌,病菌在植株残体上、种皮内过冬,通过空气传播,发病适温为 20～26℃。保护地栽培湿度大是发病的重要原因。

(3)防治方法:①选择无病植株采种,种子用 55℃热水浸 30 分钟后,经适度浸种催芽,而后播种。大棚内加强通风,降低湿度。②喷 50%多菌灵可湿性粉剂 500 倍液,75%百菌清可湿性粉剂 600 倍液或朴海因可湿性粉剂1 500～2 000倍液,每隔一周喷一次,连喷 2～3 次。

4.番茄虫害防治

番茄常见害虫有蚜虫、棉铃虫和白粉虱。当达到防治标准时,可喷药防治。可喷 40%氧化乐果乳剂 800～1 000倍,25%菊乐合酯2 500倍液。对白粉虱可喷 2.5%敌杀死3 000 倍液,连喷 2 次即可消除虫害。

第二节　辣椒的栽培

一、生物学特性

1.形态特征

根系小,入土浅,大部分根系在 10～30cm 的表土中。茎直立基部木质化、株丛小。单叶互生,呈卵圆形。花为白色或绿白色。

花瓣6枚基部合生。果实为浆果,形状各异,有圆形、椭圆形、四方形、羊角形等。幼果为绿色或黄色,成熟后变为红色或红紫色,味道有辣甜之分。

2.立地条件

(1)对温度的要求:发芽的适温为25℃,低于15℃不发芽。开花结果初期白天适温为20~25℃,夜间为15~20℃,低于10℃时难于授粉,且易落花落果。

(2)对光照的要求:种子在黑暗条件下易发芽,而幼苗生长期则需要良好的光照。

(3)对水分的要求:辣椒是茄果类蔬菜中较耐旱的种类。幼苗期需水量小,初花期生长量大,需水渐多。果实膨大期如果缺水会使果面皱缩、弯曲、生长慢、色泽不好。

(4)对湿度的要求:湿度过大、过小对幼苗生长和开花结果都不利,湿度大易诱发病害;盛花期干旱会造成落花落果。

(5)对土壤肥料的要求:辣椒对土壤条件要求不严,对氮、磷、钾三要素要求较高。幼苗期用氮肥少,需磷、钾多,生长结果盛期需氮、磷、钾三要素量最多。

二、栽培时间及育苗技术

1.时间要求

冬暖型大棚越冬茬栽培。9月上、中旬播种,10月下旬定植。冬春茬9月中下旬至10月上旬播种,2月初定植。

2.培育壮苗

培育壮苗与番茄的育苗方法基本相同。不同的是辣椒棵小,定植密度大,每一亩大棚需95~110g种子。壮苗标准是:茎干粗,节间短,苗高20~23cm,具有12~13片真叶,茎粗0.6cm。

3.种子处理

先用清水浸4~5小时,再在浓度为1%的硫酸铜溶液里浸5

分钟取出，用清水洗净即可播种。若采取催芽后播种，用湿纱布包好种子在25～30℃的地方催芽。催芽期间，每天用清水冲洗一次，以防种子发霉同时增加种子湿度。经过3～4天即可出芽，有80％的种子出芽即可播种。

4.播种

10月上中旬播种，经处理的种子播种量为30g/m^{2}左右，播前要浇足底水。育苗畦上插上小拱棚。幼苗出土前，畦内温度达到25～30℃。根据墒情可适当喷水，喷水时可加入少量多菌灵等杀菌剂防止苗期病害。在播后6天即可出苗。

5.苗期管理

要保持畦内湿润。若夜温降至5℃时，应在大棚内盖小拱棚，如果夜温降到0℃左右，小拱棚上要搭草包、草帘等保温材料。白天畦内温度应控制在20～25℃，夜间16～18℃，防止徒长。4～5片真叶时进行分苗。分苗是为了调节密度，改善通风条件，培育壮苗。按10cm×10cm的密度栽植在预先准备好的分苗畦中。分苗时，每穴留双株。缓苗后期要降温，进行低温锻炼以增强幼苗的抗寒性。

三、定植与管理

1.整地、施基肥

青椒在定植前一周要整地施肥。要选土层厚、有机质含量高的疏松土壤进行种植，每亩施厩肥5 000kg。复合肥或磷钾肥40kg。

2.定植

冬暖型大棚栽青椒应在10月下旬定植，采用南北方向宽窄行双株栽植。宽行50cm，窄行40cm，穴距40cm，每亩定植3 700穴，7 400株。起苗时按10cm×10cm大小面积切块，将青椒带土坨移栽，以提高成活率。要在栽苗处培成高15～20cm、宽30～40cm

的小垄，立即浇透缓苗水。待土壤不黏时，覆盖地膜，在膜上挖洞，从洞中掏出幼苗。

3.田间管理

(1)防寒保温：严寒季节以保温为主，进入春季，气温回升，要加强棚内的通风。当棚温高于28℃时，要通风降温。

(2)通风透光管理：定植缓苗前不通风，以保持较高的温度和湿度，促进及早发根。缓苗后要及时通风，棚温白天20～25℃，晚上15℃为宜。

(3)肥水管理：定植后要浇足水。门椒坐住后浇第二次水，随水每亩冲施尿素20kg、磷酸二铵10kg。到第二层结果时结合施肥浇第三次水。肥量和上次一样。冬前禁止浇大水，必须浇水时浇暗水，水温最好保持在13℃以上。冬季不追肥，可结合喷药进行叶面追肥，喷洒0.2%磷酸二氢钾或0.3%尿素溶液。入春结合浇水进行追肥，以速效化肥为主，增施磷钾肥。

(4)二氧化碳的使用：在青椒幼苗期，大棚内每隔6m放一个盛有稀硫酸的桶，再在每个盛有稀硫酸液的桶内放入包好的碳酸氢铵180～250g；定植到坐果期，每个桶放碳酸氢铵380～480g；坐果到收获期，每个桶内放360～510g。

(5)整枝摘叶：为减少消耗，应及时掰除侧枝。结果中后期，要把植株下面的黄叶、病叶和无效枝剪除，以利透光。立春后，进行一次重剪，剪除1/3～1/4的老枝。

(6)保花保果：在1～2月份，棚温低，易造成落花落果。为防止落花，提高坐果率，可在青椒开花时用0.001%～0.001 5%浓度的2,4－D溶液或0.002%～0.003%浓度的番茄灵涂抹花柄，保花保果。

四、品种介绍

(1)国王大椒：属中熟型甜椒。平均单果重55g，抗病、抗热。

适于露地及园艺设施栽培。

(2)科丰特大牛角王:早熟品种,长势强,抗病、高产。果长22～28cm,横径4.5cm,果实牛角形,绿色味辣,单果重100g左右,每亩产量4 000～6 000kg。

(3)黄羊角辣椒:植株长势强,株高65cm,株幅50cm,果实羊角形,长16～20cm,横径3.5cm,青果黄绿色,熟果为鲜红色,辣味适中,属中熟品种,从播种到采收120～130天。坐果率高,丰产性好,抗病性强。

(4)茄门甜椒:株高70cm左右,长势强。是中晚熟品种,果肉厚味甜,品质好,单果重150～250g。耐热性及抗病性强,适宜于大棚栽植。

另外还有辽椒3号、艳美比绍大椒、埃斯大椒、麻辣三道筋等品种。

五、病虫害防治

1.辣椒病毒病

(1)分布与危害:在我国各地都有发生,近几年有加重的趋势,该病还可以危害黄瓜、西葫芦、西瓜、番茄等多种蔬菜。

(2)识别特征:初发病时叶背面产生水渍状的近圆形褐色斑点,边缘稍凸起。严重时小叶畸形、变黄脱落,茎上产生水渍状褐色小斑点,并互相连接,开裂成疮痂状,果实上产生圆形小斑点。

(3)发病规律:引起辣椒病毒病的病毒包括黄瓜花叶病病毒、烟草花叶病病毒、马铃薯Y病毒。它们在杂草和保护地蔬菜或病残体和种子上越冬,由蚜虫和机械接触传播。一般高温干旱、多年连作土壤贫瘠,病害发生严重。

(4)防治方法:①选用抗病品种,一般早熟品种比晚熟品种抗病,可选用中椒2号、吉杂2号、湘研5号、双丰、辽椒2号等品种。②种子处理,用10%磷酸三钠溶液浸泡20分钟再用清水冲洗干净，催芽播种。③加强管理防蚜避蚜。④药剂防治：在定植前、缓苗后和盛果期各喷施一次下列药剂：83 增抗剂（S83）100 倍液；0.1%硫酸锌溶液；20%病毒 A 可湿性粉剂 500 倍液或 1.5%植病灵乳油 800 倍液，均能达到好的效果。

2. 辣椒炭疽病

（1）分布和危害：此病分布广、危害重，主要危害叶片和果实，引起烂果和落叶。

（2）识别：病叶初产生水渍状褐绿斑点后扩展成圆形或不规则大斑，病斑褐色，上面轮生黑色小点。椒果上病斑为褐色，呈水渍状凹陷，斑上有微隆起的同心环纹。密生小黑点或淡红色黏稠物。

（3）发病规律：该病是由辣椒刺盘孢菌和果腐刺盘孢菌分别侵染引起的，病菌在病株残体和种皮或土壤中越冬，一般气温在 27℃、相对湿度 95%以上时，病菌繁殖迅速。

（4）防治方法：①选用抗病品种：如早杂 2 号、羊角椒、吉农方椒、早丰 1 号、长丰等。②种子处理：播前用 55℃的温水浸种 10 分钟，冷却后催芽播种。也可用 1%硫酸铜溶液浸种 5 分钟，捞出后投入到 1%肥皂水中洗 5 分钟之后催芽播种。③加强肥水管理。④药物防治：用 1∶1∶200 波尔多液或 0.3%硫酸铜溶液在坐果盛期喷药保护。或选用农抗 120 水溶液 200 倍液，70%甲基托布津可湿性粉剂 500～600 倍液，70%代森锰锌可湿性粉剂 400 倍液。第一次用药不应迟于有两层果时，以后每 7～10 天一次，每亩用药液 60～75L，共用 3 次。为防病菌产生抗药性，在杀菌剂使用上要注意药剂混用和交替使用。

3. 辣椒虫害

主要害虫有蚜虫、红蜘蛛、蓟马等。蚜虫可用 50%避蚜雾 2 000倍液或 10%一遍净3 000倍液防治。红蜘蛛、蓟马可用螨光光、杀虫素等防治。

第三节 茄子的栽培

茄子是茄科蔬菜，原产热带东印度地区，在我国已经有很久的栽培历史。

一、生物学特性

茄子对环境条件的要求：

(1)温度：茄子是喜温类蔬菜，不耐寒。种子发芽适温为27～30℃，最低不能低于10℃。幼苗生长发育期适温为25～30℃，夜间为15～20℃。10℃以下停止生长，0℃以下受冻死亡。温度与茄子生育、开花和花型的关系见表2-1。

表2-1 温度与茄子生育、开花和花型的关系

昼温及夜温(℃)	展开叶片数	第一花着生节位	第一花分化期(天)	第一花开花期(天)	第一花花型(%)		
					长柱	中柱	短柱
15,10	3.6	8.8	29.0				
20,15	5.6	9.0	18.2	78.3	100.0	0	0
25,30	9.2	9.0	14.1	50.3	75.0	25.0	0
30,25	12.1	8.1	11.8	37.2	44.4	33.4	22.2

(2)光照：茄子对光照的要求较严格，日照时数越长，生长越旺盛。

(3)水分：茄子枝繁叶茂，需水量较大。缺水则严重减产，品质下降。当土壤水分过多、通气不良时，易引起沤根；空气湿度大易发生生理病害，相对湿度应保持在60%～70%。

(4)土壤和矿质营养：茄子对土壤的适应性强，沙质和黏质土均可栽培。pH值在6.8～7.3之间，较耐盐碱。对肥料的要求以氮肥为主，钾肥次之，磷肥最少。对氮素吸收量比例为叶占21%，茎占9%，根占8%，采收的全部果实占62%，可见果实膨大期需补充大量氮肥，并适当配合磷钾肥。幼苗期多施磷肥，能够促进根系发育，茎叶粗壮并提高花芽分化的质量。

二、栽培时期

在日光温室里栽培冬春茬茄子只有几年历史，经验不很成熟。从辽宁鞍山的实践中知，9月上旬播种育苗，10月下旬定植，元旦前后开始收获。

三、育苗技术

1.选择优良品种

现在我国还没有专供温室用的品种，只能从露地栽植品种中选择植株开张度不大、早熟和果实发育快的品种。如西安绿茄、七叶糙青茄、紫长茄子，要根据各地的具体情况选择合适品种。

2.培育壮苗

为了早熟高产，茄子秧苗需长出9～10片复叶，已现花蕾时才能定植。育苗时间是90～100天。

3.种子处理

茄子种皮较厚，最好用热水烫种消毒法。用50～55℃热水烫种10～15分钟，捞出后用凉水投洗，再用25℃左右的温水浸泡24小时。也可用药粉拌种或药水浸种消毒。充分浸透的种子，用湿毛巾包好，放在30～35℃的温度下催芽。每天用清水投洗，洗去种皮上抑制发芽的物质。一般4～5天即可发芽。

4.播种

苗床土由大田土或葱蒜茬土4份，草木灰或腐熟的厩肥4份，腐熟的大粪干1份，细沙1份组成。1m^3 床土再加过磷酸钙0.5～1.0kg，充分拌匀过筛。还要进行苗床土消毒处理。一般9月上中旬播种。播种前把床土平铺 10cm,浇透底水,水渗后播种,1m² 苗床用种 20g。每亩需 30～35g 种子育出的茄苗,所以需苗床 2～2.5m²。播后覆土 1cm 再盖上薄膜,并使苗床温度达到 20～25℃。

5.苗期管理

苗床中的种子 70%出苗后,去掉盖在床土上的塑料薄膜。要经常喷水保持土壤湿润。这期间要注意防治地下害虫,其方法是用 80%敌敌畏乳油,加1 200～1 500倍水稀释后浇在苗床上。当幼苗有 2 片真叶时,要进行分苗,备好分苗的苗床,按 8cm×8cm 的株行距移苗。移后要浇透水,并保持高温促进缓苗。白天 28～30℃,夜间 20℃左右,2～3 天即可缓苗。当秧苗长到 9～10 片真叶时,即定植前 7～10 天,开始割坨、晒坨。

低温锻炼幼苗,方法是在苗床上浇透水,然后把带苗床土割成坨,逐渐加大放风量。夜间去掉草苫,定植前适当控制温度和水分。茄子壮苗标准是:苗龄 50～60 天,植株矮化,直立挺拔,门茄现蕾,叶色深绿,根系完整。定植前还要进行一次虫害防治,用 40%乐果乳油1 200～1 500倍液或溴氰菊酯5 000倍液喷雾。

四、定植与田间管理

1.整地与施基肥

茄子忌连作。定植前再深翻一次,施足基肥。每亩用腐熟的厩肥5 000～7 000kg 及过磷酸钙和草木灰,在整地时撒施。整地后要做畦、做垄。

2.定植方法及密度

定植要选阴天过后、晴天开始时进行。定植前 7～10 天,将棚膜扣上,用高温闷棚,杀死菌和虫卵,采用小高垄栽植。早熟品种行距 50cm,株距 40cm。每亩植3 000余株。中晚熟品种行距 60cm,株距 50cm,每亩可植2 200余株。定植前 1～2 天,育苗畦内浇水,待水渗下后,按 8cm×8cm 大小切块,待土块干湿相宜时起坨定植。在栽苗处培成高15～20cm,宽30～40cm的小垄。定植后覆膜,按苗处于膜的位置挖洞,把幼苗从洞中掏出,把膜洞周围压紧盖严,立即浇水。浇水时将地膜一端支起,使水从沟膜下流进,将垄浇透,以利于缓苗。

3.定植后的管理

(1)温度:定植后一周左右不通风,缓苗后的白天温度维持在25～28℃,夜间15℃左右。缓苗期不浇水,防止地温下降。立春后天气变暖,要逐步加大通风量,使棚内相对湿度控制在60%左右。

(2)肥水:缓苗后,浇缓苗水。坐果初期开始追肥浇水,每次结合浇水每亩追化肥20kg。门茄现果后逐渐加大肥水,每隔一周浇一次水或追一次肥。整个生长发育期追4～5次化肥。

(3)二氧化碳的施用:在茄子幼苗期,每个盛有稀硫酸的桶内,放入包好的碳酸氢铵200～300g;定植至坐果期,每个桶放400～480g,坐果至收获期每桶放360～450g。桶的设置方法同青椒。

(4)整枝:一般多采用双干整枝法调整通风透光状况,双干整枝法是在对茄棵形成后剪去两个向外的侧枝,形成两个向上的枝干,以后所有的侧枝都要打掉,结到7个果实后摘心,以促其成熟。如果要延长茄子收获期,可采用剪枝再生枝技术。在7个茄子收获后,在主干距地面10cm处用利刀斜茬削除,然后加强土肥水管理,促其侧枝萌发;然后再选生长好的枝条进行双干整枝。一个月后又可收获果实。

(5)保花保果与疏花疏果:茄子在生长前期或严寒季节,棚内温度低于15℃时,易引起落花落果,这时可用0.004%～0.005%浓度的番茄灵蘸花,保花保果。当茄子果实结得过多时,单果重就减小,品质下降,此时可适当疏花疏果,从而提高质量,增加单果重。

(6)采收:早熟品种,开花后25天即可收嫩果。如果门茄不及时采收,会影响对茄发育,出现坠茄、秧现象。因此门茄采收宜早不宜迟。判断茄子果实是否可以采收,要看茄子萼片与果实相连接的地方,如有一条明显的白色或淡绿色的环状带,则说明果实正在快速生长。如果环状带不明显或正在消失,则表明已经成熟。

五、品种介绍

(1)北京六叶茄:圆茄类,植株高大,叶宽而厚,果实圆球形或圆柱形,早熟品种,果皮呈黑紫色。对低温适应性强。

(2)安阳茄:圆茄类。晚熟品种,果皮紫红色,耐热耐涝。

圆茄类还有西安大圆茄、昆明圆茄,上海大圆茄、贵州大圆茄等。

(3)北京线茄:长茄类,茄小,呈长棒形,为中晚熟品种。耐热,果皮深紫色,品质好。

(4)成都竹丝茄:早熟,果实绿色,有紫色条纹。

(5)杭州红茄:果皮紫色。适于浙江、江苏、安徽种植。

(6)济南长茄:中晚熟品种,从定植到开始采收60天。第9节见花,果实长卵形。果皮为紫色,有光泽。单果重400～500g,每亩产量4 000kg以上。

(7)鲁茄一号:叶片小而窄长,坐果力强,果实呈长卵形。果皮黑紫色,平均单果重200～250g。

六、病虫害防治

1.茄子褐纹病

(1)分布与危害:全国各地均有发生,是茄子主要病害之一,可引起死苗、枝枯和烂果。

(2)识别:幼苗发病多在茎基部产生梭形水浸状病斑,呈褐色或黑褐色,稍凹陷收缩,使幼苗猝倒或立枯死亡。病部常有小黑点。茎部受害部位褐色,病斑梭形,干腐而纵裂,露出木质部,并散生小黑点。果实病斑圆形褐色稍凹陷，病斑相连使果实腐烂，表面皱缩形成同心轮纹。

(3)发病原因：此病是由茄褐纹拟茎点霉菌侵染所引起。病菌以丝体或分生孢子器在病残枝体上越冬，一般病菌可存活2～3年以上。带菌的种子可远距离传播。田间风雨、昆虫和农事操作都是传播途径。一般温度在28～30℃、相对湿度80%以上时，有利于病菌繁殖侵染。因此，高温、多湿连作，氮肥过多，均可导致病害发生与流行。

(4)防治方法：①选用杂交抗病品种，一般长茄比圆茄抗病，如选用北京线茄、吉林羊角茄、早丰产牛心茄、灯泡茄等品种。②从无病植株上选种留种，种子可用55℃热水浸种15分钟，浸后立即用冷水降温、晾干备用。也可用100倍福尔马林浸种15分钟，再用清水清洗后催芽播种。③苗床消毒：在播种前15天，将每平方床土用福尔马林100～150ml，加水4～6L施浇，再用塑料布覆盖4～5天，揭开待药液挥发后播种。④药物防治：选用64%的杀毒矾M8可湿性粉剂500倍液，75%百菌清可湿性粉剂600倍液或70%代森锰锌可湿性粉剂500倍液。一般每7天喷1次。为生产无公害茄子，采前7天停止用百菌清。

2.茄子黄萎病

(1)分布及危害：该病又称半边疯、黑心病。它是茄子的主要病害，在我国各地种植区均有发生。此病寄主范围广，还可危害番茄、辣椒、马铃薯和瓜类等作物。

(2)识别：茄子黄萎病一般在门茄坐果后开始发病，多自下而上扩展，叶片边缘及叶脉间变黄，逐渐发展到整个叶片变黄。发病时，半边枝叶萎蔫，因此，该病称为半边疯。最后全叶枯黄下垂，以至脱落，造成半边枯死或全株发病枯死。

(3)发病规律：本病是茄疫霉菌侵染所致。病菌以卵孢子随病残体在土中越冬，种子也能带菌。病菌在田间可以由风、雨水和灌溅进行传播侵染。气温 20～30℃，相对湿度高的情况下，病害极易蔓延。因此，在低洼、排水不良，降雨多，密植连作的情况下，病害将严重发生。

(4)防治方法：①选用抗病品种，播种前进行种子消毒。生产上可选用辽茄 3 号、北京九叶茄、兴城紫圆茄、四川墨茄、贵州冬茄等。②要轮作倒茬。可与葫芦科作物 2 年以上轮作。③加强管理，把园里的病残体清理出去烧掉或深埋，合理施肥，深翻土地改良土壤结构。④药物防治：在发病初期可用 50%多菌灵 500 倍液，每株施药液 300ml，或用 58%的甲霜锰锌可湿性粉剂 500 倍液，70%乙膦锰锌可湿性粉剂 400～500 倍液，64%的杀毒矾 M8 可湿性粉剂 500 倍液或 72.2%的普力克水剂 500 倍液进行喷雾防治。

3.茄子绵疫病

(1)分布与危害：该病又称水烂，是茄子重要病害之一，在我国种植区均有发生。病害蔓延迅速，使果实大量腐烂而脱落，对产量影响很大。

(2)识别：此病主要危害果实，茎叶也会受危害。幼苗受害，嫩茎水渍状缢缩，幼苗猝倒死亡。成株期，叶片病斑褐色，有轮纹；潮湿时，生有稀疏白霉；干燥时易干枯皱裂。果实病斑近圆形，水渍状，稍凹陷，黑褐色。潮湿时密生白色棉絮状菌丝体，果肉变黑腐烂。病果易脱落，干缩成僵果。

(3)发病原因：茄子绵疫病是藻状菌茄疫霉菌侵染所致。适宜发病温度为 28～30℃。在阴雨不断、天气闷热、土壤黏重、密度过大的情况下易发。

(4)防治方法：发病初期可喷洒 1∶1∶200 倍波尔多液或 50%甲基托布津可湿性粉剂1 000倍液，75%百菌清可湿性粉剂 600～700 倍液。几种药物交替使用则防治效果会更好。每隔 7 天喷 1 次，连喷 2～4 次。

4. 茄子虫害

大棚茄子的主要害虫有:蚜虫、白粉虱、红蜘蛛和蛴螬。发现蚜虫可及时喷 20%灭扫利乳油2 000倍液或喷 2.5%功夫乳油3 000倍液,或 40%氧化乐果乳剂1 000~1 500倍液,连喷 2 次,就能把蚜虫消灭。对白粉虱,用 10%扑虱灵乳油1 000倍液或喷 2.5%天王星乳油3 000倍液,或喷 20%灭扫利乳油2 000倍液,防治效果明显。防治红蜘蛛,要结合积肥铲除田园杂草,清除残枝败叶用于沤肥,消灭虫源。药剂可用 40%氧化乐果乳油或 40%乐果乳油各为1 500倍液,或 50%敌敌畏乳油 800 倍液,或 20%的三氯杀螨醇1 000~1 500倍液。蛴螬是金龟子幼虫的通称,可用辛硫磷拌种,辛硫磷、水和种子的比例为 1:50:600,具体操作是用药液均匀喷洒放在塑料布上的种子,边喷边拌后闷 3~5 小时,中间翻动一两次。种子干后即可播种。在蛴螬为害较重的地块,用 50%辛硫磷乳油1 000倍液,或 30%敌百虫乳油 500 倍液,也可用 25%增效喹硫磷乳油1 000倍液灌根,每株灌 150~250g,可杀死根际附近的幼虫。

第四节　黄瓜的栽培

黄瓜在我国已有很长的栽培历史。栽培面积占保护地栽培总面积的一半以上。黄瓜含有多种营养物质,如维生素类,磷、钙、铁等矿物质。

一、生物学特性

1. 形态特性

黄瓜起源于温暖潮湿地带。根系分布浅,在 5~25cm 的土层中。对氧气要求严格,栽培时要选择土壤疏松,通透性好的肥沃湿润土壤,移苗时避免伤根,要多带土。茎为蔓性、中空,无限生长。

茎上有刚毛,节上长叶片、花、侧枝和卷须。黄瓜的叶分为子叶和真叶。子叶肉厚、长椭圆形;真叶为掌状五角形或心形。黄瓜为雌雄同株异花。雄花较小,多为簇生;雌花多为单生。黄瓜的果实由子房发育而成,形状为棒状或长棒状。果实不经受精可结实,称单性结实,但授粉能提高坐果率。种子扁平,呈长椭圆形,为黄色或白色。千粒重30g。

2.对环境条件的要求

(1)温度:生长发育适温15～30℃,最适温为25～30℃。耐寒性差,10℃以下生长缓慢,5℃以下有受冻害的可能,0℃以下植株会冻死。35℃以上植株生长不良,38℃以上时,黄瓜根系停止生长。

(2)光照:黄瓜的光饱和点为5.5万lx,补偿点为0.15～0.2万lx,最适光照,强度为4万～5万lx。光照降到只有自然光的1/2时,对光合产量没有多大影响,说明黄瓜有一定的耐阴性。

(3)水分:黄瓜根系浅,叶片大,耗水量大,所以喜湿,但又怕涝。适宜的土壤相对湿度为85%～95%,空气相对湿度为白天80%,夜间90%。

(4)土壤肥料:由于根系不发达,吸肥能力弱,所以应选用富含有机质、疏松通气、排灌良好的微酸性或弱碱性土壤,pH值6.5为宜。黄瓜在整个生育过程中以吸收钾最多,氮次之,再次是钙、磷、镁等元素。

(5)气体:空气中二氧化碳含量为0.03%,远不能满足黄瓜光合作用的需要。因此,可通过增施农家肥增加二氧化碳浓度。

二、育苗技术

春冬茬,利用冬暖型单坡面大棚进行越冬茬栽培,一般9月下旬至10月上旬播种育苗,11月中下旬定植,元旦春节收获上市,采收期跨越冬、春、夏三个季节达到150天以上,整个生育期可达到8个月。

1.育苗

(1)营养土的配制:育苗畦营养土按下列比例配制:过筛肥沃的细土6份,腐熟的畜粪和圈肥4份调制均匀。另在每立方米营养土中加入腐熟捣细的大粪干或干鸡粪15kg,过磷酸钙2kg,草木灰10kg(或氮、磷、钾各为15%的复合肥1.5kg)。充分调和拌匀。若土壤过黏,可掺入适量细沙;土壤过于疏松可适当掺些黏土。为了灭菌、杀虫,防治苗期病虫害,每立方米营养土中加50%多菌灵80g,加入50%敌敌畏50g,调好后覆膜杀死病菌和害虫。

(2)选择适宜品种:黄瓜品种可选长春密刺、鲁黄瓜4号、中农11号、山东密刺、新泰密刺、津春3号等。砧木可选用云南黑籽南瓜。

(3)育苗畦的准备:因冬暖型大棚黄瓜幼苗需要嫁接,在育苗时,要准备三种育苗畦——黄瓜播种畦,黑籽南瓜(砧木)播种畦,嫁接苗移植畦。育苗畦在大棚内安排,80m长的大棚,离开两侧山墙的遮阴畦,靠大棚的东一端或西一端,把每间大棚以南北向做成两个长5m、宽1.5m,低于地面8~10cm的低畦。然后将配好的营养土填入,浇足水即成育苗畦。嫁接育苗畦在育苗畦的东侧或西侧,也以南北向排列,畦的大小按长5m、宽1.5m为宜。根据苗的多少决定嫁接育苗畦的个数,一般80m长的棚可做5个。该苗畦在整地时,把营养土直接按育苗畦大小铺成高畦即成。营养土的厚度在浇足水后应达到8~10cm。

2.播种

冬暖型大棚黄瓜的播种期在9月中旬至10月下旬。

(1)播种量:一般每亩大棚栽4 500株左右。黄瓜种子千粒重20g左右,黑籽南瓜种子千粒重200~250g。据此,再考虑种子的发芽率,嫁接苗的成活率来决定种子需要量。60m长的大棚用种量:黄瓜130g,黑籽南瓜1 300g。

(2)播种技术:①黄瓜比黑籽南瓜提前6天播种,采用舌形靠接法嫁接。只有采取错期播种,两种幼苗的高度和粗度才一致,嫁接后易成活。若采用插接法嫁接,黑籽南瓜应比黄瓜提前2天播种。②浸种催芽:浸种前应选择籽粒饱满的种子,晾晒两天。然后进行浸种催芽。先在清洁的小盆中装入种子体积4~5倍的55℃的温水,把种子放进去用木条搅拌,并保持55℃恒温15分钟。待水温降至35℃时停止搅拌。继续浸泡4~5小时,待种子充分吸水膨胀后,即可出水。要搓掉种皮上的黏液,多次用清水投洗,然后用湿纱布包起来,放在大碗或小盆内,上口盖上湿毛巾,保持发芽所需水分。黄瓜种子吸胀需水量为种子绝对干物质的36%~42%,发芽还需高于吸胀的20%~25%。吸胀的种子在28~30℃条件下,12小时胚根即可露出种皮。在20℃的条件下则需20个小时。所以催芽最好在28~30℃的条件下进行。③播种时应选晴天的上午进行。播前要先将育苗畦内浇透水,将种子撒播于畦内。撒播要均匀,黑籽南瓜播种时要密播。然后在黄瓜种上覆盖湿润细土1cm厚;在黑籽南瓜种上覆土2cm。为防止苗期病害发生,覆土后喷洒50%的多菌灵可湿性粉剂600倍液。喷药后立即盖地膜保温保湿。

3.播种后育苗畦的管理

黄瓜播种后出苗前,苗畦温度应保持在28~32℃。出苗后,为防止徒长,应降低畦温。黄瓜播后3天开始出苗,5天就可出齐。白天要把温度保持在27℃左右,夜间15℃。在此期间,为防止病害发生,每隔5~6天可轮换喷施百菌清、瑞毒霉600~800倍液。

4.嫁接技术

(1)嫁接成活后,黄瓜断根,地下生长的是黑籽南瓜的根系,它比黄瓜的根系大,吸收肥水能力强,生长旺盛有利于提高产量。嫁接后的黄瓜抗病力强,抗枯萎病效果好,达到90%左右。在大棚内种植黄瓜,经嫁接,克服了土壤病害的障碍,可以连作。嫁接后的黄瓜同时具备抗寒、抗旱、耐涝的优点。

(2)嫁接前,每人要准备一个便于操作的方凳、小板凳和盛苗盘等,准备75%酒精或0.1%的高锰酸钾液消毒。

(3)嫁接时间是否适当,会直接影响嫁接苗的成活率。采用靠接法时,若嫁接过早,则幼苗小,操作不方便;嫁接过晚则幼苗组织老化,切口不易愈合,成活率低。嫁接适期为黄瓜播种后12天左右。黄瓜苗第一片真叶初展开,黑籽南瓜播后6天,苗高8~9cm,此时黑籽南瓜和黄瓜靠接的幼苗成活率高。

(4)黄瓜的嫁接方法有靠接法、插接法和劈接法三种。黄瓜靠接示意图见图2-1。靠接法易操作,成活率高,熟练人员一天可嫁接800~1 000株。现就靠接法做一介绍。

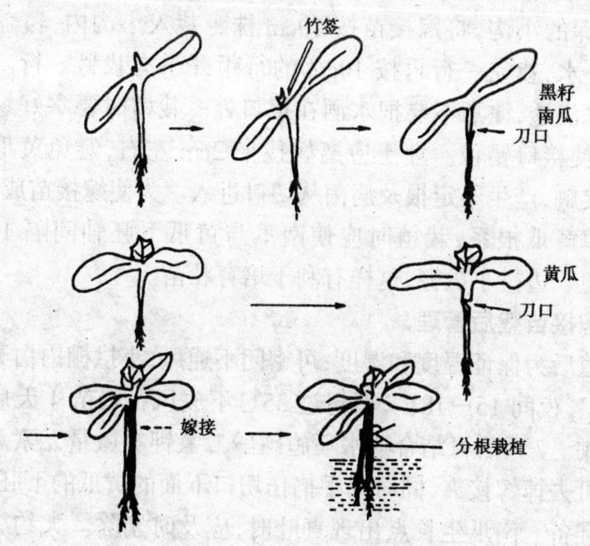

图2-1　黄瓜靠接示意图

要选晴天上午8点至下午4点进行嫁接。嫁接前一天畦内浇足水,对瓜苗喷一遍5%的多菌灵或百菌清杀菌剂。大棚上部要用苫子遮阴,防止阳光直晒幼苗,在嫁接处可适当泼些水,以增加湿度减少幼苗失水。起苗时少伤根，尽量少带土，以避免嫁接时污染刀口。嫁接时先取南瓜幼苗，切去真叶，用竹签剔净生长点，左手拿刀片，离子叶节下1cm胚茎处自上而下斜切成40°的口，削入胚茎的1/3，切口长约0.5cm，轻握南瓜苗于掌心。左手再拿黄瓜从子叶下1.5cm处自下而上斜切成40°的口，削入胚茎的2/3，刀口深0.5cm，然后放下刀片，将黄瓜舌形切口与南瓜切口对接吻合在一起，两者子叶成十字形，用小塑料夹从接穗一侧往吻口夹好，使黄瓜幼苗在里面，南瓜苗在外边，嫁接后黄瓜略高于南瓜苗。接好后立即栽入畦内。

5.栽植嫁接苗

将嫁接好的苗子随即栽植，先在准备好的栽苗畦内横向开2～3cm深的小沟，将嫁接苗按10cm株距栽入小沟内，覆盖土后随即浇小水，栽完一行再按10cm的行距开小沟栽另一行。边栽边用小水浇透，注意不要把水洒在接口处。栽植时要拿好嫁接夹部分，不使接口错位。埋土应离嫁接夹2cm左右，避免黄瓜胚轴与土壤接触，产生不定根及病菌从切口进入。为使嫁接苗成活后，便于去掉黄瓜根系，栽植时应使南瓜与黄瓜下胚轴间隔1cm左右。要边栽边搭小拱棚，这样有利于培育壮苗。

6.嫁接苗栽后管理

栽植后为保证温度和湿度，可密闭不通风，小拱棚内白天温度25～30℃，夜间15～18℃，不超过35℃不放风。栽苗4天后可去掉小拱棚。7天后可结合喷水喷施磷酸二氢钾等微量元素。伤口愈合后可去掉嫁接夹，同时用手掐伤切口下面的黄瓜的下胚轴，为断根做准备。南瓜生长点出现真叶时，应及时剔除。大约12天，黄瓜第一片真叶完全展开后，可用刀片从嫁接口基部将黄瓜下胚轴切断，并拔除黄瓜根，这样黄瓜的茎就长在南瓜根上，靠南瓜根吸收水分和养分。一般嫁接苗45天形成壮苗。壮苗的形态指标是:3叶1心或4片真叶，叶色深绿、肥厚、茎粗、节间短、根系发达,植株高 10~15cm,无病虫害。达到此标准即可定植。定植前一天浇一次透水,以便起苗。

三、定植及定植后的管理

1.整地施肥

每亩施入农家肥 10t,深翻 30cm。每亩施硫酸钾 30kg,并喷洒 1kg 50%辛硫磷药液。

2.定植

定植时间一般在 11 月中下旬,先在整好的大棚内南北向开沟,深约 3cm。为便于管理,采用大小行形式,大行行距 80cm,小行行距 50cm(如图 2-2 所示)。开沟后,将幼苗从苗畦内带土坨起出,按株距 26~27cm 放置在沟内,立即把黄瓜两侧的土翻起埋住黄瓜根部土坨,形成小高垄。一般垄高 25cm,垄顶宽 40cm,注意在培土时切勿埋住嫁接口,以免茎上生根,失去嫁接作用。高垄整好后立即盖地膜,盖膜时用 90cm 宽的地膜直接盖在小行距的两垄瓜苗上,把地膜两端拉紧,在膜上掏洞,拉出黄瓜苗后立即浇水。

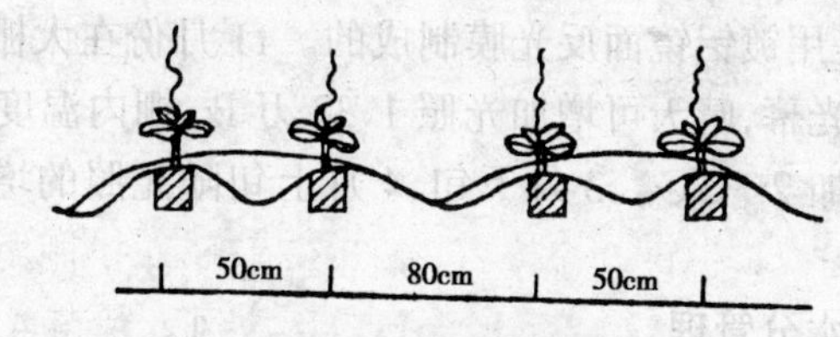

图 2-2 黄瓜定植图

3.温度管理

缓苗期一般不通风,白天温度控制在 30℃左右,夜间保持在 20℃左右。缓苗后大棚要开始通风,并逐渐加大通风量降低温湿度,防止幼苗徒长,白天温度控制在 25℃,夜间保持 15℃左右。到严冬季节(即元旦春节期间),外界温度最低,这期间一般不通风,即使白天光照好,温度短时升至 32℃,也不要急于通风降温。若温度继续升高,可从棚顶开小缝通风降温,使大棚内保持30℃的温度。雨雪天气夜间最低温度保持在10℃左右为宜,以最大限度地减少呼吸消耗,使黄瓜能正常地生长发育。

结果期温度管理,上午控制在25～30℃,下午20～25℃,上半夜15～20℃,下半夜12～15℃。实行变温管理,有利于营养物质的制造,抑制黄瓜呼吸作用,减少养分水分消耗,使黄瓜优质高产,并提高抗逆性。

4.光照的管理

光照是光合作用的动力,也是温度的来源。光照强,温度高,光合能力就强。光照的管理一般结合草苫的掀盖。日落前当棚内温度降到20℃时要盖草苫,阴雨雪、灾害性天气,棚内温度不下降时就应掀起草苫,若掀开草苫后温度明显下降,可不急于掀开草苫,但中午要短时间掀开或随掀随盖,使黄瓜接受短时间的散射光。连续阴天突然转晴,切不可掀苫过急,更不能全部掀开草苫,应陆续、间隔掀开,防止掀苫过急损伤黄瓜植株。大棚膜上若有灰尘,要及时用清水冲洗干净以恢复透光率。张挂反光幕可增加光量,反光幕是用镀铝镜面反光膜制成的。11月份在大棚栽培畦的北侧张挂反光幕,晴天可增加光照1.32万lx,棚内温度和5cm厚的地温可增加2～3℃。3月下旬、4月上旬随光照的增强可撤掉反光幕。

5.土壤水分管理

大棚黄瓜水分管理采用“三浇、三不浇,三控制”技术。“阴天不浇,晴天浇;下午不浇,上午浇;明水不浇,暗水浇;苗期控制浇水,坐果前控制浇水,低温控制浇水”。所以黄瓜定植后浇过缓苗水后,在寒冷季节里以控水为主。当黄瓜根瓜长到10cm左右时开始浇催瓜水。对水分的管理除了看土壤干湿适时浇水外,3月初气温渐渐回升,黄瓜进入盛果前期,需水量增加,要增加浇水次数,一般10～12天浇一次。

6.土壤追肥管理

春节以前一般不追肥。春节后黄瓜茎叶生长加快,只有不断追肥才能满足生长的需要。若不及时追肥,将影响产量和质量。结瓜期追肥要随水冲施。每亩每次冲施厩肥300kg,磷酸二铵25kg,尿素25kg。

7.根外追肥

选用氮、磷、钾三元复合肥,磷酸二氢钾,尿素等。每隔半月喷一次,喷肥的浓度为0.2%~0.3%。叶面喷糖氮液有防冻增产效果。糖氮液比例为:白糖或红糖250g,尿素150g,清水50kg。根外追肥或喷糖氮液主要喷叶片背面,有利吸收。

8.二氧化碳气肥的施用

大棚黄瓜栽培,二氧化碳浓度维持在0.1%~0.15%较合适。据试验,黄瓜补施二氧化碳,茎叶粗大,生长旺盛,雌花增多,抗病性增强,增产幅度45%左右。补充二氧化碳的方法:在大棚内每6m放一个塑料桶,桶内装2/3容积的稀硫酸,再取一定数量的碳酸氢铵装入小塑料袋内扎紧口,并在袋上扎3个孔,放入桶内用重物压沉至桶底部。一般从12月下旬至第二年4月初进行。2月份前每桶放碳酸氢铵150~250g,2月份以后每桶放碳酸氢铵250~350g。

9.利用遮阳网

为了延长黄瓜采收期,增加产量,从5月初开始在大棚上盖遮阳网,能降低棚内温度4~5℃。

10.其他管理

(1)吊蔓:为减少植株间瓜蔓相互缠绕遮阴和便于管理操作,采用拉绳吊蔓。吊蔓多用塑料绳,每株黄瓜垂直拉一条塑料绳,上端绑在拱杆上,下端绑小木棒插入地下。

(2)植株调整。结果期当瓜长到一定高度时,下部老化的黄叶和病叶应去掉,疏掉过多的雄花,摘掉部分卷须,减少养分消耗,有利于黄瓜生产。摘卷须时要留 1cm 的茬,便于缠蔓。

11. 采收

黄瓜基本达到商品标准时即可采收。有刺类型的黄瓜,要顶花带刺采收,品质脆嫩清香。根瓜应提前采收,有利于瓜蔓生长。

四、品种介绍

(1)长春密刺:当前日光温室中普遍栽培。早熟,品质优良,抗枯萎病,易感霜霉病和白粉病。叶片深绿,主蔓 3~4 节开始结果,瓜长 30cm 左右,品质好,耐寒性较强。

(2)中农 3 号:中国农科院蔬菜研究所育成的早熟一代杂交种。从播种到采收 60 天左右。较抗白粉病、霜霉病和枯萎病。

(3)津杂 1 号:天津市黄瓜研究所育成的一代杂种。植株健壮,高抗霜霉病、白粉病和枯萎病,摘心后回头瓜较多,露地和保护地栽培均可。

(4)鲁黄瓜 4 号:该品种是黄瓜一代杂交品种,以主蔓结瓜为主,分枝性弱。瓜条呈细长棒形,皮色深绿,刺为白色。单瓜重 170~180g,瓜长 27~30cm。抗病性强,耐寒不耐热,每亩可达 5 000kg。

另外还有津春 3 号、中农 11 号、津杂 2 号、津研 6 号、中农 1101、津研 4 号等品种。

五、病虫害防治

1. 黄瓜霜霉病

(1)分布与危害:黄瓜霜霉病俗称跑马干,黑毛,我国各地均有发生。此病发生快,危害重,在适宜条件下 1~2 周内即可使瓜秧枯黄。一般流行年份减产 20%~30%,严重流行时损失达 50%~60%,甚至全无收成。

(2)识别:此病主要危害叶,也危害茎、卷须和花梗。幼苗子叶受害呈不均匀的褪绿、黄化,潮湿的情况下叶背可产生灰黑色霉层,甚至子叶枯死。成株期,叶片发病初,产生水渍状淡绿色斑点,扩展后呈多角形病斑,呈黄绿色、黄色和黄褐色。在湿度大的情况下,叶片背面病斑上产生紫黑色霉层。严重时病斑相连,叶片干枯边缘上卷,仅顶端叶片青绿。

(3)发病原因:黄瓜霜霉病是由真菌引起的,病菌随病株残体在土壤中越冬,借风雨传播。整个过程的适宜温度为15～20℃,因此保护地水湿环境管理对黄瓜霜霉病的流行程度影响很大。一般于4月中下旬开始发病,5月中下旬为发病盛期。

(4)防治方法:①选用抗病品种,津杂1号、津杂2号、碧春农大12等均对霜霉病有一定抗性。②加强栽培管理。选择地势高、排水良好的地块。施足农家肥和磷钾肥并定期喷0.3%磷酸二氢钾或加入0.1%的尿素。③药剂防治。在发病前或发病初期,用58%甲霜灵锰锌可湿性粉剂500倍液,40%乙膦锰锌可湿性粉剂500倍液,64%杀毒矾可湿性粉剂500倍液,72%克露可湿性粉剂500倍液或72.2%普力克水溶性液剂500倍液等,每5～7天喷1次,连喷4～5次。或喷2.5%的甲霜灵可湿性粉剂600～800倍液、25%甲霜灵锌可湿性粉剂400～600倍液、60%霜霉可绝(杜邦328)可湿性粉剂500倍液。上述药剂轮换交替使用效果更好。④烟雾剂防治。用55%的百菌清烟雾剂,每亩用量300g左右,可在棚内5～6个点点燃。点燃烟雾剂一般在夜间进行,点燃前要关闭通风口,效果会更好。⑤高温闷棚。若病情严重,可在晴天上午关闭棚室,温度升至45℃后持续2个小时,然后放风降温。处理前一天灌一次水,处理后及时施肥浇水。

2.黄瓜枯萎病

(1)分布与危害:黄瓜枯萎病又称蔓割病、萎蔫病。它是世界性病害,保护地发生更严重。

(2)识别:典型症状是萎蔫。幼苗发病引起叶子萎蔫或全株枯萎，呈猝倒状，开花结果后发病较重，病株逐渐萎蔫，叶下垂。茎蔓基部缢缩。根部褐色腐烂。病茎维管束褐色纵裂。潮湿条件下，病部表面产生白色或粉红色霉层。

(3)发病规律：该病是由镰孢菌侵染所引起。病菌以菌丝、孢子和菌核在土壤，病残体或种子中越冬，成为翌年的侵染源。土中的病菌可存活5～6年，所以带菌的种子和土壤是该病的主要传播途径。若长期连作，地势低洼，土壤黏重，气温为20～25℃，相对湿度为90%以上，病害将大发生。

(4)防治方法：①选抗病品种：目前较抗病的品种有北京小刺，长春密刺，津杂2号，津研7号，中农1101，西农58，郑黄2号等。②种子处理：用55℃温水浸种10分钟之后催芽播种或用50%多菌灵可湿性粉剂500倍液浸种1小时，清水洗后催芽播种。③培育无菌苗，最好2～3年轮作。育苗时要进行苗床土消毒，每平方米苗床用50%多菌灵可湿性粉剂10g与床土混匀，一半土作垫层，一半作覆土，或者播后用50%多菌灵可湿性粉剂浇灌。移栽时防止伤根。④药剂灌根：发病初期选用50%多菌灵可湿性粉剂500倍液或40%多菌灵胶悬剂400倍液进行灌根。每株灌药250～400ml，每7～10天灌一次，连灌2～3次。

3.黄瓜白粉病

(1)分布及危害：白粉病又称白毛病。我国各地均有发生，对黄瓜危害重，同时还危害西葫芦、南瓜、甜瓜、西瓜等。

(2)症状：本病的典型症状是发病部位布满白粉，后期还可以散生黄褐色到黑色小粒点。病害主要侵染叶片，亦危害茎和叶柄，发病初期，叶片正面或背面产生白色近圆形小粉斑，好似撒上一层白粉一样。白粉逐渐变成灰白色，叶片枯黄，后期有的病斑上散生小黑点。

(3)发病规律：该病是由单丝壳白粉菌侵染所引起。病菌在南方以菌丝或分生孢子周年寄生在黄瓜等寄主上；在北方寒冷地区以闭囊壳在病残体上越冬，成为翌年的病菌来源。病菌孢子靠气流、雨水传播。气温在16～24℃，湿度大，植株较密，氮肥过多，光照不足时，白粉病易流行。

(4)防治方法：①选用抗病品种和加强棚室肥水管理：津杂1号等对白粉病抗性较强。棚室内注意通风透光，降低湿度，加强肥水管理。②药剂防治：可用硫磺粉、45%百菌清(安全型)熏蒸。方法是：在幼苗定植前，每111m^2用硫磺粉0.25kg，锯末0.5kg，密闭一夜。熏蒸时棚室内最好维持20℃左右，这种方法若使用不当易产生药害，应慎用。45%百菌清烟剂用量一般为250g/亩。发病初期也可用25%粉锈灵可湿性粉剂2 000倍液，或15%粉锈宁可湿性粉剂1 000倍液。也可用农抗120水剂0.01%或京2B膜剂60倍液，从开始发病，每周喷雾1次，连续进行2～3次。

4.黄瓜炭疽病

(1)分布与危害：我国各种植地均有发生，它是黄瓜的常发病害。西瓜、甜瓜、苦瓜等均有发生。

(2)症状：幼苗发病，子叶边缘出现褐色半圆形病斑，受害的茎基部缢缩，苗猝倒。成株期叶片受害，初为水渍状小斑点，扩展后呈红褐色近圆形大病斑。潮湿时叶片正面病斑上生有粉红色小点，后变成黑色。干燥时病斑易破裂，叶片干枯。瓜条上病斑呈水渍状淡绿色，后凹陷，黑褐色，潮湿时上面生有粉红色黏状物。

(3)发病规律：炭疽病是由葫芦科刺盘孢菌侵染所引起。病菌以菌丝和拟菌核在病残体和种子里越冬，翌年病菌经风雨和昆虫作媒介传播。若氮肥过多，排水不良，长期连作，温度在24℃、湿度在97%以上时，病害严重发生。

(4)防治方法：①种子处理：选用无病的种子，并将种子用55℃温水浸种15分钟，冷凉后催芽或直播；或用50%多菌灵可湿性粉剂500倍液浸种1小时，冲洗干净后催芽播种，均可杀死种子上的病菌。②加强管理：及时清除病残体，深翻整地，实行2年以上轮作。施足农家肥和磷肥，调节大棚温湿度。降低昼夜温差。③药剂防治：在发病初期，可选用70%甲基托布津可湿性粉剂700倍液，70%代森锰锌可湿性粉剂500倍液或用50%炭疽福镁可湿性粉剂300～400倍液，50%多菌灵可湿性粉剂500倍液，每隔7天喷1次，连喷3～4次。上述药剂交替使用，防治效果显著。

5.黄瓜主要害虫防治

(1)蚜虫：以若虫和成虫在叶背面和瓜蔓生长点的细嫩叶吸食汁液。植株被害后，老叶和新叶卷缩，提前枯死。发现蚜虫，可及时喷洒20%灭扫利乳油2 000倍液或喷2.5%功夫乳油3 000倍液，或40%氧化乐果乳剂1 000～1 500倍液，连喷2次，即能消灭蚜虫。

(2)白粉虱：成虫体长1～1.5mm，淡黄色，翅面覆盖有白蜡粉。若虫和成虫吸食植物汁液，被害叶片变黄失绿，严重时萎蔫，甚至整株枯死。白粉虱在吸食的同时分泌大量蜜汁，变为灰黑色，严重污染叶片和瓜条，引起煤污病的发生，使黄瓜失去商品价值。发现有白粉虱，及时喷10%扑虱灵乳油1 000倍液，或喷2.5%天王星乳油3 000倍液，或喷20%灭扫利乳油2 000倍液，防治效果好。

第五节　西葫芦的栽培

西葫芦又叫美洲南瓜，原产于美洲热带地区，属于喜温蔬菜。含有较丰富的维生素C和葡萄糖。是我国北方的主要栽培蔬菜之一。

一、生物学特性

1.形态特征

西葫芦根系发达，主要根群深度为10～30cm，侧根以水平生长为主。西葫芦，茎中空，蔓性品种节间长，蔓长可达1～4m。矮生性，节间短，蔓长50cm左右。叶片较大，为浓绿色或淡绿色。花为雌雄同株异花，花冠为黄色。雌花子房下位，子房膨大明显。瓜梗五棱，种子较大、扁平，为白色或黄褐色。

2.对环境条件的要求

(1)温度和光照：发芽最低温度为13℃，最适宜的发芽温度为25～30℃，植株在10℃以下和40℃以上停止生长。开花结果要求25℃以上，果实发育适温为22～33℃。西葫芦对光照的要求比黄瓜高，冬季光照弱，西葫芦开花较晚。在结瓜期，晴天强光照有利坐果。

(2)土壤营养和水分：西葫芦对土壤的要求不严，瘠薄的土壤也能栽培。但为了获得优质高产，含有机质多的土壤更为有利，最适于沙质偏酸性土壤。西葫芦有较强的吸水能力和抗旱能力，在结果期需肥水较多，但空气湿度不宜过大。

二、栽培季节及育苗

1.栽培季节

西葫芦在冬暖型大棚里栽培，需要适宜的播种期。适宜播种期应根据大棚的温度和市场信息来确定。一般在10月上、中旬播种育苗，11月上、中旬定植，元旦、春节收获。收获期正处在新春佳节，市场需求量大，价格高。

春季早熟栽培于1月上旬播种育苗，2月上中旬定植。

2.浸种催芽

西葫芦种子千粒重150～200g，每亩大棚栽2 500株左右，为保证嫁接成活，定植后选壮苗，种子播量要大些，掌握在600～700g。播种前，将西葫芦和黑籽南瓜用55℃的温水搅拌浸泡15分钟。再用20～30℃温水浸泡4小时，搓洗掉种皮上的黏液，用清水投洗几遍，晒干种皮。用1%的高锰酸钾浸种20～30分钟，可防病毒病。然后再用湿纱布或湿毛巾包起，放在25～30℃处催芽，在催芽期间，每天打开包用清水冲洗一次，以防发霉。当大部分种子露出白尖时即可播种。

3.播种、嫁接与嫁接后的管理

(1)播种：播种前在整好的育苗畦内先浇足底水，待水渗透后，先播黑籽南瓜作砧木，在畦内横竖按10cm划出方格，每一方格内点播一粒种子，然后覆土2cm厚。黑籽南瓜比西葫芦早播2天。西葫芦播种可采用撒播，播种要均匀，叠压的种子应用木棒挑开。播后覆土2cm。

(2)嫁接方法：西葫芦的子叶展开，但未出真叶，而黑籽南瓜第一片真叶为1.5～2cm时，为适宜嫁接指标。以黑籽南瓜作砧木嫁接西葫芦可采用靠接法和插接法。靠接法成活率高，插接法简单。插接时的具体方法是：在育苗畦内选南瓜壮苗，用竹签将心叶剔除，再用竹签从南瓜苗顶心一侧斜插入茎中0.5cm左右，然后将西葫芦幼苗子叶下1.5cm处削成圆尖形，切面长0.5cm，拔出竹签插入南瓜苗顶心，接穗斜切口朝下插，以砧木与接穗两者子叶平行、不穿透砧木胚轴外表皮为度，即成嫁接苗。用喷雾器给嫁接苗喷水，扎小拱棚，盖严薄膜保温保湿。

(3)嫁接苗的管理：在嫁接苗伤口愈合前保持棚内相对湿度95%以上，3天内不揭膜。白天要求温度25～28℃，夜间保持在20℃左右。白天太阳光过强、温度过高时要适当遮阳降温。5～6天逐渐加大通风，10天后可撤除薄膜。定植前7～9天进行低温炼苗，白天19～20℃，夜间12～13℃。注意随时剔除砧木腋芽萌发的侧芽。要经常检查，看苗浇水，保持畦内土壤湿润，培育壮苗。

4.苗期管理与壮苗标准

直播出苗后或子叶期移栽缓苗后，白天控制在20～25℃，夜间保持在10～15℃，超过25℃放风，降至20℃以下闭风，防止徒长。早晨揭开草苫时以10℃左右为宜。幼苗期适当控制浇水，不出现旱象不浇水。如需浇水需在晴天上午进行,浇水后要加强放风。

西葫芦壮苗标准是:3～4 片叶,株高 10cm 左右,茎粗 0.4～0.5cm,叶片较小,叶色浓绿,叶柄长度相当于叶片长度,约 30 天育成。

三、定植与管理

1.盖膜提温

定植前 15 天将大棚薄膜覆盖好,密闭烤地,地膜在定植前 7～10天铺好,采用挖穴定植法栽苗。

2.整地施肥

每亩温室撒施农家肥4 000～5 000kg,用锨深翻,再用镐刨一遍,使粪土掺和均匀。耙平地面后采取冬春茬黄瓜地的整地方法,按大行距 80cm,小行距 50cm 开沟定植。也可在定植沟中再施 1 000～2 000kg 农家肥。

3.定植时期、方法和密度

从播种到定植,历时 30 天左右。幼苗具有三叶一心或四叶一心时为定植适期,冬暖型大棚定植时间在 11 月上中旬。定植密度为每亩温室2 000株左右,如果棵形大,可栽1 500～1 700株。

4.定植后的管理

(1)温度管理:定植后保持高温、高湿,促进缓苗,不超过 30℃不放风。缓苗后要促根控秧,防止徒长。因定植时水分充足,控制徒长主要靠调节温度。白天保持在 20～25℃,超过 25℃放风,低于 20℃闭风。15℃以下放下草苫,早晨揭草苫前达到 8～10℃。这样变温管理,可抑制茎叶徒长,促进雌花提早开放,使营养生长和生殖生长平衡。第一个雌花开放后或根瓜开始膨大时,适当提高温度,白天保持在 22～25℃,夜间保持 12℃左右。

(2)调节光照:定植缓苗后在后面张挂反光幕,每天揭开草苫,室内气温不降到 5℃就要揭开见光。

(3)肥水管理：西葫芦缓苗后，每亩冲施磷酸二铵15kg。浇水后适当蹲苗，直到根瓜长至10cm左右时进行第二次浇水追肥，随水冲施尿素20kg，结瓜盛期每一周浇一次水，追肥每两周进行一次。追肥应该是化肥和腐熟的鸡粪或人粪尿配合进行。浇水应在晴天上午进行，为促瓜果膨大提高产量，宜在浇水2天后采收。

(4)人工授粉：以午前9～10时最好，温、湿度适宜，花粉成熟授粉、受精效果好。先把雄花摘下来集中在一起，然后逐行授粉。把雄花花柄取下，一手持雄花花瓣，一手拿雌花花柄，把花粉轻轻涂抹在雌花柱头上，一朵雄花可授3～4朵雌花。

(5)植株调整：吊蔓与缠蔓，及时摘除侧枝，在缠蔓和摘除侧枝的同时进行疏瓜。

(6)采收：根瓜重量达到250g左右时应及时采收。长势弱的植株应尽早采收，以免坠秧。

四、品种介绍

1.潍早一号

潍早一号是西葫芦杂交一代品种。株高50cm。叶肥厚，深绿色，呈五角状。果实长圆筒形。一般单果重900g，平均单株结果7～8个。它系极早熟品种，早春播后45天即可采收300g左右的嫩瓜。

2.早青一代

早青一代由山西省农业科学院蔬菜研究所于1973年用阿尔及利亚品种与黑龙江小白瓜配制的杂交种。矮生种，适宜于密植。亩产5 000kg左右。

3.阿兰番瓜

阿兰番瓜为兰州市西固区农技站培育的杂交种，蔓长54.7cm，叶掌状深裂、深绿色有稀疏银斑。一般单果重0.5～1.0kg，品质优良。较抗病毒病，丰产性好，一般亩产6 000kg。另外，还有采尼(从美国引进的杂交种)、阿尔及利亚花叶西葫芦等品种。

五、病虫害防治

1. 西葫芦病毒病

(1)分布与危害：病毒病又称花叶病。它是西葫芦的主要病害。我国各地均有发生。

(2)病症：叶片发病后出现淡黄色不明显病斑纹，后变为深淡不均的花叶病斑。有的新生叶沿叶脉出现浓绿色隆起皱纹，或出现叶片变小、裂片、黄化等症状，严重时植株死亡。瓜受病毒危害后，瓜面出现花斑或凹凸不平的瘤状物，瓜畸形。

(3)发病原因：引起西葫芦病毒病的主要是黄瓜花叶病毒、甜瓜花叶病毒、烟草环斑病毒等。病毒主要在杂草上存活越冬，通过蚜虫和管理操作的汁液摩擦传毒，所以在高温干旱及蚜虫大发生时较重。

(4)防治方法：①选用抗病品种。②种子消毒：外购种子用10%磷酸三钠浸种20分钟，然后水洗，催芽播种。或用55℃的温开水浸40分钟。③药剂防治：蚜虫是病毒的传播媒介，要及时灭蚜。为生产无公害蔬菜，可喷“绿灵”牌植物杀虫剂，以1 000倍溶液喷洒使用，对蚜虫杀伤率很高。连喷2次可彻底杀灭。发病前或发病开始期可喷植病灵800～1 000倍液，或20%病毒A粉剂500倍液，或0.1%的高锰酸钾溶液，每隔一周喷一次，连喷3～4次效果很好。

2. 西葫芦白粉病

白粉病是西葫芦的主要病害。春夏季棚栽西葫芦后期发生严重，植株早衰死亡，可减产10%～30%。有关识别特征、发病规律和防治方法详见黄瓜白粉病防治方法。

第六节　苦瓜的栽培

苦瓜属葫芦科,原产亚洲热带地区。既有食用价值,又有药用价值。近年虽种植面积不断扩大,但市场上仍供不应求,每亩收入可达到1.5万元。

一、生物学特性

1.形态特征

直根系,根系发达,侧根主要分布在30～50cm深土壤中。茎蔓性。同株异花。低节位的雌花结实率高。一般单瓜有种子20～30粒,整个生育期为100～120天。开花结果占整个生育期的1/2,在开花结果的同时,营养生长很旺,占整个生长量的90%以上。

2.对环境条件的要求

属喜温耐热作物。种子发芽适宜温度为30～35℃,幼苗生长适温为20～25℃,10℃以下生长不良。开花结果适温为25～30℃。苦瓜属短日照性植物,对日照要求不严,但光照充足有利于开花结果。苦瓜对土壤适应性强。

二、栽培季节及育苗

苦瓜越冬栽培,是在秋延迟蔬菜收获后进行的,一般11月下旬育苗,1月上旬定植于大棚内,2月下旬后收瓜,6月底拉蔓,拉蔓后继续种植秋延迟蔬菜。

1.培育壮苗

(1)育苗畦制作:一般育苗,在冬暖型大棚内设置小拱棚进行,育苗畦南北方向长5～6m、宽1.5m。先将畦内土挖5cm深,把挖出的土放在畦的两边,用此土配制营养土,即拌入腐熟好的优质畜粪或土杂肥150kg，多菌灵30～50g充分拌和均匀。将畦底用脚踏实，撒上一层草木灰以便于起苗。然后将调制好的畦土填入育苗畦内耙平，以备播种。

(2)浸种催芽：苦瓜的种皮厚而硬，先用55～60℃热水浸种20分钟，然后放在30℃温水中浸6～8小时，捞出后用纱布包好放在30～35℃的地方催芽。催芽期间每天把纱布打开用清水淘洗一次，以防发霉。一般2～3天出芽。

(3)播种：选晴天上午，播前畦内浇透底水，待水渗下后，将发芽的种子按10cm见方点播在育苗畦上，播完后覆土2cm。然后扣上塑料小拱棚，白天保持25～30℃，夜间15℃。幼苗长至二叶一心时，逐渐撤去小拱棚，长到四叶一心时即可定植，苗龄一般40天为宜。

2.定植

当前茬蔬菜收获完以后，要立即深翻整地，结合整地施优质圈肥和氮磷钾复合肥。然后按行距70～80cm起小高垄，以备栽植。为使起苗不散坨，少伤根。定植前育苗畦内浇水渗下后按播种时的10cm×10cm切块。使幼苗在土坨中间，待起苗时保持土坨不散，挖苗定植。在做好的垄上按株距35～40cm挖穴栽苗，每亩2 000～2 200株。

3.定植后的管理

(1)温度：一般情况白天棚温28℃左右，夜间20℃左右。缓苗后开始通风，白天棚内保持在25℃左右，晚上15℃左右。

(2)肥水：苦瓜在开始结瓜时需肥量大，可分别在现蕾、开花结果和采收期进行施肥，每亩施复合肥25kg，在盛果期追加2次磷钾肥，结合施肥要适当浇水。

(3)搭架和整枝：当苦瓜长到20cm左右时，要用尼龙绳作牵引，开始绑蔓上架。在大棚覆盖的薄膜下面25cm处，以铁丝或竹竿为材料搭以棚架，使苦瓜秧依托在上面结果。要使茎蔓分布合理，正常生长，需及时进行整枝，当主蔓生长到一定高度，保留2～3个健壮的侧蔓与主蔓一起引爬上棚架，其他侧蔓与卷须全部抹掉。爬上棚架长出的侧蔓，结瓜者保留，无瓜者去掉，当一个侧枝上出现两朵雌花时，可摘除第一雌花，保留结瓜质量好的第二雌花。授粉时间在上午10点进行，采用人工授粉，可提高坐果率。苦瓜生长后期，约在4～5月份及以后的时间只摘除老黄叶，不需进行整枝，随温度升高要去掉大棚上的薄膜，在自然条件下生长结瓜。苦瓜食嫩瓜为主，一般在开花后12天嫩瓜长成。

三、品种介绍

1.白苦瓜

植株长势中等。瓜条长纺锤形，一般长25cm左右，横径4～5cm。瓜面有条状和不规则的瘤状突起，皮为绿色，有光泽、味甘苦，品质风味好，一般单瓜重240g。

2.杨子洲苦瓜

其植株生长势和分枝能力均强，主蔓第20节开始着生一朵雌花。瓜为长圆形，长40～50cm，横径8cm左右，皮白绿色，单瓜重达700g。

四、病虫害防治

1.炭疽病

(1)症状：危害叶片、茎蔓和瓜。叶片受害后，初为水浸状纺锤形或圆形斑点，后变为红褐色，病斑周围有一圈黄纹，病斑多时连成不规则大斑，其上面轮生许多小黑点，潮湿时产生粉红色黏质物，天气干燥时后期叶片干枯死亡。瓜条发病初期表皮有暗绿色油渍状斑点，继续扩大成圆形或椭圆形凹陷，为暗褐色或黑褐色。当棚内湿度大时，病斑中部产生粉红色分生孢子。瓜条危害严重的，可使整个瓜坏掉。

(2)防治方法:在播前用40%福尔马林100倍溶液浸种30分钟进行种子消毒,用清水洗净再进行催芽,防止产生药害。当植株发病时,可喷70%代森锰锌600倍液或80%炭疽福美800倍液或50%多菌灵600倍液,每隔1周喷1次,连喷2~3次。

2.蚜虫

发现蚜虫危害,可喷40%的氧化乐果1 000~1 500倍液或20%的灭扫利乳油2 000倍液,或喷"绿灵"牌植物杀虫剂杀死蚜虫。

3.白粉虱

喷施10%的扑虱灵乳油1 000倍液,或20%速灭杀丁2 000倍液,或2.5%的灭螨锰油1 000倍液。

4.瓜食蝇

幼虫蛀食嫩瓜,引起腐烂和落果,发现后要及时喷20%速灭杀丁2 000倍液或2.5%溴氰菊酯乳油1 000~1 500倍液,连续喷几次即可杀灭。

第七节　香椿的栽培

一、生物学特性

1.形态特征

香椿树干直立,枝条顶端优势强。生长速度快,一年可使枝条达到1m以上。香椿叶互生,为羽状复叶。香椿根分蘖力强,受伤的根茬常能萌发长成新的小苗,利用这一特点,可进行分株繁殖或用根扦插育苗。一般7~8年生树才能开花结果。香椿花为白色,6月份开花,因香椿是采嫩芽食用,将花芽一并采下因而很少开花结果。

2.对环境条件的要求

香椿种子发芽的适宜温度是20~25℃,幼苗生长的温度是

8～25℃。在露地条件下,幼苗有春秋两个生长高峰。秋末当日平均温度降到10℃以下时,植株开始落叶,进入自然休眠。自然休眠期为30～60天。香椿对低温敏感,耐受能力差。1～2年生香椿苗和小枝在低温加干旱条件下,极易受冻而干枯。香椿对土壤条件要求不严,壤土、沙土和黏土均能生长。适应中性和微酸性土壤。为获得高产,要选择有机质丰富、含磷较高的土壤进行栽培。香椿喜光性强。在保护地栽培条件下,主要利用苗木体内贮存的营养供给幼芽萌发生长。对弱光耐性也很强,因此应在大棚内进行高密度植培,才能获得高产。

二、栽培季节及育苗

1.栽培季节

一般于4月份在棚外播种育成大苗。10月底出圃在沟内假植,11月份入棚定植,元旦前后采收。

2.培育壮苗

(1)选择疏松肥沃、营养丰富的壤土地,每亩10 000kg腐熟的有机肥,要深翻平整,做畦。每亩施尿素50kg,过磷酸钙60kg。

(2)选取优质种子,必须是上一年新采的饱满、新鲜,壳呈现红黄色、仁呈黄白色,净度在98%以上、发芽率在80%以上的种子。要先做发芽试验。

(3)浸种催芽:香椿的播量为条播每亩2.5kg,撒播4kg。经浸种催芽的种子可比干籽早出苗5～10天。浸种前要去掉种子上的翅翼。将种子倒入40～50℃的温水中不停地搅拌至水温降到25℃左右,继续浸12小时。捞出种子控去多余的水分,放在干净的瓦盆中,或摊到能淋水的苇席上,不论放在瓦盆还是摊在席子上,种子的厚度都不宜超过3cm。种子上要覆盖透气洁净的湿布,而后放到20～25℃的环境中催芽。在催芽过程中,每天要把种子翻动几遍,用25℃左右的温水冲洗1～2遍,冲洗后必须把多余的水分控去。当25%的种子萌动冒芽时,把种子用2～3倍的细湿沙拌匀,随后播种。除上述催芽方法外,还有把浸泡好的种子与细湿沙混匀进行催芽的,也有把种子撒到细沙床上催芽的。

(4)适时早播:一般在气温达到15℃时即可播种。黄淮海一带4月上中旬播种,如播后加盖地膜,播期还可提前10天左右。适时早播不仅有利于防止种子由于贮藏期长而降低发芽率,还可省去苗期遮阴,可保证有充足的时间培育大苗。

(5)播种方法:有条播和撒播两种方法。①条播,要先浇底水,后播种,还要按每亩地25%的多菌灵3kg,硫酸亚铁10kg与细土拌匀撒到畦面进行土壤消毒。在1m宽的畦内按30cm行距开沟,沟宽6cm,深3cm,把种子均匀撒在沟里,保持3cm左右有一粒种子。控制到每平方米25～30株。每亩1.5万株左右。播后上面覆一薄层土,然后覆盖地膜以利于保湿。在气候较温暖的地区,也可于11月份播种。②撒播,把种子均匀地撒在畦面,覆一层薄土即可。

保护地育苗,在气候寒冷地区或为培育大苗可在日光温室或塑料大棚内育苗。开始撒播培育苗子,而后移入塑料营养钵里培育成苗。

(6)发芽期管理:从播种到苗子出齐这一段为发芽期。在播种季节常温情况下,播后一周种子开始发芽出土,半月可出齐,雨季干籽播种20天左右出齐苗。发芽期管理的关键是防止跑墒和消除灌水后造成的土壤板结。灌大水造成土壤板结会使种子无力出土而死亡。水大还会冲走种子,低温、土壤板结易造成种子烂掉。覆盖地膜的苗床,要在幼苗出土时割膜放苗。

(7)幼苗期管理:从出齐苗到定苗这段时间叫幼苗期。①灌水与松土除草:当幼苗长出2～3片叶时要灌1次水。还要进行中耕除草,结合除草进行疏苗。保持苗距2cm左右,以后看长势再进行1次间苗,使苗距达到5～6cm。②叶面喷肥:当小苗长出2～3

片真叶时，用尿素100～200倍液进行叶面喷洒，也可顺水冲入淡淡的稀粪，促其生长。③定苗和移苗：当苗长有4～5片真叶、茎10cm高时，要进行间苗和定苗，定苗时先在畦内浇水，然后本着去弱留强的原则，进行间苗定苗。为温室育矮化植株时，留苗宜稀些，株距以20cm为宜，每亩可留苗1万～1.2万株。培育两年生大苗时，株距须达到30～35cm，每亩可达4 000～5 000株。把需要间下的小苗用小铲带土挖起，另选地块栽植，及时浇水，促其成活。由于经过间苗培育的苗子不如移栽的苗子根系发达。所以目前培育香椿苗时一般用移栽的方法。移栽的行株距为(25～30)cm×30cm，每亩可产苗6 000～8 000株。移栽时在近地面处平茬有利于提高成活率。为防止萎蔫，移栽时利用阴天或傍晚进行。

(8)苗木的中后期管理：要做好施肥松土、除草和灌水工作，同时注意防治病虫害。一般在苗期每10～15天喷1次25%多菌灵可湿性粉剂200倍液或灌根防根腐病。

(9)苗木矮化处理：矮化处理，是温室栽培香椿的关键措施。在黄淮地区，一年中香椿有两个生长高峰，4月中旬至6月中旬是第一个生长高峰，幼苗高度生长量一般在20～50cm；另一个是7月份至8月下旬，50天左右，高度生长量可达到60～90cm。由此可见，6月中旬后当年生苗，有40～50cm高，第二个生长高峰期到来前，为防止苗木雨季发生徒长，应抓紧进行矮化处理，加以控制。对一年生苗木的矮化处理，过去主要是采取控水、控肥或摘心、截干的方法。目前认为用多效唑处理苗木可以收到较好的效果。它可使苗木矮化，也可增强叶片功能，促进芽的分化和提高质量。具体方法是：多年生苗木从6月底开始、当年生的苗木从7月下旬开始，用15%多效唑200～400倍液，每10～15天进行1次叶面喷施，连喷几次。

(10)优良苗标准：当年生苗高1.0～1.5m，苗干直径1.5cm以上，组织充实，顶芽饱满，根系发达，无病虫害。

3.香椿日光温室生产技术

用温室冬季进行生产有四种形式:一是冬季只生产一茬香椿,而后撤膜休闲,苗木转移到露地继续培养。二是香椿生产结束后将香椿苗平茬移到露地培养,腾出的温室定植番茄、茄子、辣椒等。三是香椿生产时预留出一定的行间,以套种黄瓜和番茄,实行间作套种生产。四是利用温室里的边角闲散地种植。

(1)施肥整地:按亩计算施优质农家肥5 000kg,过磷酸钙100kg。

(2)假植前的处理和假植:①起苗和低温处理:香椿不耐霜冻,受冻后会造成顶芽和枝干枯死,苗圃里的苗木必须按时出圃。一般认为当地初霜到来之前,当苗木落叶养分大部分回流到茎和芽里就要抓紧起苗。黄淮地区一般10月下旬到11月初进行。为了防止突然降温,来不及刨取苗子而受冻,可以在10月下旬喷施浓度为0.07%~0.08%乙烯利,以加速养分的回流,加快脱叶。起苗时应多留根以提高成活率。香椿苗落叶后,一般还有半个月左右的自然休眠期,假植到温室以前必须人工处理,使其完成自然休眠。方法是选背风向阳处挖一条深0.5m、宽1.0~1.5m的假植沟,把苗木稍加整理后,头朝东南或南斜着摆在沟里,根部封土并浇上水。气温骤降时,还须用柴草稍加覆盖,避免冻害。经过15~20天10℃以下的自然低温,休眠基本结束,即可假植到温室地段。不经处理或处理不好的苗木扣膜后虽然芽子可以萌发,但因养分不足,常表现为芽头短而叶长,产品纤维多,香味淡,品质差。②假植时间和密度:往温室地段假植是在当地日平均温度降到5~3℃时进行,黄淮海地区一般在11月中下旬进行。栽植密度当年生苗每平方米要栽100~150株,多年生苗木每平方米80~120株,栽植时南北向挖沟30cm深,沟距20cm,然后依计划栽植的密度确定株距。栽前要对苗子进行一下调整,根据大棚坡度,使低苗在前、高苗在后,同时相隔0.5m左右留1个宽行做大畦埂,以便于浇水和作为行走通道。栽时要保持根系舒展,用下一行开沟取出的土进行覆土。栽后浇水。在自然条件下经过十几天使其继续完成自然休眠,而后扣膜。苗木不足时,也可把遭受轻度冻害的苗木剪去枯死部分利用起来。

(3)假植后的管理:扣膜后的主要管理是搞好温度和光照的调节,创造有利条件,使香椿生长快、产量高、品质好。①温度调整:缓苗期10~15天,这一时期应着力提高气温,白天可掌握30℃,以气温促进地温升高,为根系生长创造条件。经过一段时间,芽子开始萌动后白天温度控制在15~25℃,夜间10℃,最低不少于5℃。试验表明日平均气温25℃时,一昼夜嫩芽可长2~4cm,15℃时长1cm,10℃时只长0.4cm,但温度不能超过35℃,超过要放风。②湿度调节:假植以后要浇透水,以后要根据情况决定是否浇水。空气的相对湿度宜保持在85%以上。③光照的调节:在椿芽生长期,保持有2万~3万lx的光照较好,在这样的光照强度下,椿芽外观美、品质好。严冬季节光照强度差,加上棚膜污染,露水附着和薄膜老化等原因,光照往往不足。应尽量选用无滴膜。3月份以后光照逐渐增强可适当遮阴。

(4)温室里插空:生产香椿时,若温室内主栽品种是其他蔬菜,香椿的生产就不能按其自身的要求来进行。而是按主栽品种来调节温度和湿度。

(5)采芽与包装:①采芽:当椿芽长到15~20cm时,要及时采收。采下的芽子捆把后栽到浅水盆里泡12小时,可防止萎蔫。第一次要采顶芽,顶芽在长到12~15cm时就可采收,顶芽采后侧芽才能萌发。二茬芽为侧芽、隐芽,长到20cm时采收。采收时不要整芽掰下,而要在基部留2~3个叶,到了后期要留下1/4的芽不采,以制造养分辅养、恢复树势。采芽用手掰时不易掌握,最好用刀或剪子进行。温室里椿芽萌发比较一致,每隔7~8天可采1次,共采4~6次。每次采芽前3天进行1次叶面喷肥,并做到适时浇水。②精致包装：香椿芽春节前后开始上市，是蔬菜中的珍品，价格自然好，因此要精心包装。新采下的芽子要仔细整理捆扎并加上精巧的外包装，一般50～100g为一把，每袋一二把。用塑料袋包装要适当扎几个洞，既防止水分较多蒸发，又可保持一定的呼吸强度。采后不要急于上市，可在室（窖）内的木架上摆一层。室温保持在0～10℃，有效存放期10天左右。

(6)平茬移栽：清明至谷雨前后气温升高，露地栽培的香椿芽上市，价格已下跌，此时不易再采芽，应及时移出棚外，培育壮苗，冬季继续进行栽培。在4月初，当自然气温在10℃以上时，先将大棚内通风降温，炼苗3～5天，以便适应外界环境，然后把香椿苗移出棚外，按行距35cm、株距25～30cm栽植到大田里，平茬高15～25cm。待平茬后长出幼芽，选留一个壮芽，进行培养。同第一年育苗定株后的施肥、浇水、除草、防治病虫害等一样管理，培育壮苗。控制植株高度，待初冬再移栽到大棚内进行香椿芽生产，这样就可以生产出品质好、产量高的香椿芽。

三、品种介绍

1.红芽香椿

嫩芽初展时为棕红色，以后随芽苔的伸长，除顶部1/3～1/4保留红色外，其余变为绿色。嫩叶稍有皱缩。嫩芽粗壮，嫩叶鲜亮。脆嫩多汁，纤维少，香味浓郁，生长快，品质好，产量高。

2.红芽绿椿

嫩芽棕红色，很快转为绿色，但顶端1/3～1/4始终保持棕红色。叶展开后叶、叶柄、茎干均为绿色。嫩芽香味较淡，木质化较慢。发芽早，产量高。但品质不如红芽香椿。

另外还有褐香椿、墨油椿等品种。

四、病虫害防治

1.香椿白粉病

(1)识别:叶背产生白粉状物引起叶枯,早落叶。

(2)发病规律:氮肥过多、苗木拥挤、生长嫩弱、光照不良易发此病,孢子借风力传播。

(3)防治办法:清除病叶落叶,合理灌溉。注意氮、磷、钾的配合使用。发病初期用15%的粉锈宁600~800倍液每亩施药100kg,半月1次,共喷3~4次。

2.香椿叶锈病

(1)识别:病叶两面有黄色粉状物,以背面为多,严重时扩展到全叶,后期有暗褐色小点,散生或群生,受害叶片提前落叶或生长不良。

(2)发病规律:湿度大有利于发病,露地常从夏初开始直到11月份。

(3)防治方法:同白粉病。

3.香椿根腐病

(1)识别:根部腐烂,植株死亡。

(2)发病规律:夏秋阴雨天和排水不良时易发病。

(3)防治方法:选择地势较高、肥沃疏松、排水良好的土壤。选用壮苗用5%石灰水或0.5%的高锰酸钾200倍液浸苗根15~20分钟。再用清水冲净后栽植,行间喷用1:2:200倍的波尔多液。预防发病时可喷用0.5%的硫酸铜液,但喷后要随即用清水浇苗或及时挖出病株,并用石灰水处理苗穴。

4.香椿干枯病

(1)识别:茎干出现病斑,严重时全株树枝皮干缩。

(2)发病规律:苗圃中幼树多发生。

(3)防治方法:树干涂白。在病斑处打孔深达木质部,涂上1:10的碱水,或用70%甲基托布津2 000倍液喷洒。

5.香椿毛虫

(1)识别:多在6～8月份发生。初龄幼虫咬食叶肉,残留叶脉,受害叶呈现网状,大龄幼虫咬食后只留下叶柄和主脉。

(2)生活习性:6月上旬成虫羽化,交配后产卵于叶背面,多数为十粒卵聚集习性,白天一般集中在树下背阴处,夜间上树在叶背面取食。

(3)药剂防治:90%晶体敌百虫1 000～1 200倍液喷布,也可以用菊酯类农药。如有黄、绿、扁刺蛾发生,可用50%的辛硫磷800倍液或80%敌敌畏1 000倍液喷布;如有红蜘蛛发生,可用25%的三氯杀螨醇500倍液防治。

第八节　芹菜的栽培

一、生物学特性

1.温度

芹菜耐寒怕热,喜欢冷凉。适于芹菜生长的温度为15～20℃,高于20℃生长不良,超过30℃叶片发黄。在6～7℃的低温下仍可生长。幼苗可忍耐-4～-5℃的低温。在4℃时就能够发芽,以18～20℃发芽最快,7～8天出芽。超过25℃会影响发芽率。在日光温室栽培时,前期白天20～22℃,夜间5～10℃。严寒的冬季室内外温差特别大,地温低,白天室内温度可适当提高到25℃,以便室内增加的热量,保证夜间温度。

2.光照

芹菜耐阴性强,怕强光,适于密植。在通过春化阶段后还须得到14小时以上的光照才能开花结实。栽培上一般都进行遮阴。

3.水分

芹菜喜湿润,怕干旱。整个生育期对土壤水分和空气湿度的要求高。如果干旱或浇水不及时不仅影响产量,还影响质量。

4.土壤肥料

选择土层深厚、土壤肥沃的地块种芹菜。要获得产量高品质好的芹菜,就需要大量的养分,尤其氮素更为重要。

二、栽培及育苗

芹菜可一年四季生长。在日光温室里栽培,除了高纬度和高寒地区作为越冬一大茬栽培外,多数为秋冬茬栽培。

1.适龄壮苗标准

苗龄60天,株高10～13cm,3～4片叶,无病虫害。

2.播种期的确定及苗床准备

播种期的确定是从定植期向前推60～70天。苗床准备,一般实行平床撒籽育苗,苗床土要肥沃、细碎平坦,床土由60%园土,30%马粪,10%鸡粪组成,另加0.3%化肥,床土要过筛,厚度12cm。

3.播种及苗期管理

芹菜种子细小,外包硬壳,吸水慢,发芽迟。播前要用砖干搓种子,把杂质除掉,再用清水洗净,用20～25℃的温水泡2天。浸种期间,每天投洗一次并换水。催芽的适宜温度为18～20℃,15℃以下发芽不齐。每天晚上投洗一次,一般4～5天即可出芽。播种时应浇透底水,播种后覆土0.4cm。覆土过薄,易抽干芽子,出苗不齐;覆土过厚,幼苗出土困难。夏季育苗,播种后应用草苫子盖畦面。畦面干旱时适当喷水,出苗后应马上撤去草苫子。苗期温度:白天应保持20～25℃,夜间13～15℃。要适时浇水除草。不进行移栽的可适当间苗,有条件的可进行1～2次移苗。苗龄60天左右长有5～6片叶时即可定植。

4.定植

在温室内按每亩施农家肥5 000～7 000kg,磷肥80kg,氮肥

25kg。按1m宽，做南北畦。地整好后开始栽苗。起苗前，苗床内要浇透底水。连根起苗，把苗按大小分级，分畦栽植。栽苗时按10～12cm行距开南北沟，按穴定植。栽时要深浅适宜，以“浅不露根，深不埋心”为宜。随栽随用喷壶浇稳苗水，全畦栽后再顺畦浇1次水。

5.定植后管理

浇定植水后1～2天再浇一次缓苗水。当心叶变绿、新根发出时，要及时松土保墒。11月中旬要覆薄膜，根据气温变化情况进行通风或放草苫。缓苗后白天应保持在20℃左右，夜间保持在8℃左右，超过25℃就可以放风。这期间还要注意肥水管理，第一次追肥后20天再追一遍肥。每亩撒施硝酸铵15～20kg。一般在无水滴时撒肥，撒后马上把粘在芹菜上的肥料弄掉，然后进行浇水。

6.生长后期管理

生长后期管理即收获期管理。收获采取白天擗收或一次收割，一般定植60天可达收获标准。每月进行1次擗收，每株每次擗收2～3个大叶。不能擗收量过大，否则影响植株生长，降低总产量。采取擗收要进行变温管理，擗收后要在原有温度基础上提高6～8℃，这样既有利于伤口愈合，减少病害又能促进根子再生。7～10天后再转入正常温度管理。要适时浇水，每10～15天浇1次水。结合浇水追施肥料每亩施硝酸铵25kg或碳酸氢铵35kg。同时用浓度为0.002%～0.003%赤霉素加100～150倍的白糖和300倍的尿素，叶面喷肥，可大大提高产量。

三、品种介绍

芹菜分为本芹和西芹两大类型，我国以栽植本芹为主。本芹又分为空心和实心两种类型。实心芹有植株高、品质好、耐贮运等特点。日光温室栽培以实心芹为主。

1. 春丰芹菜

春丰芹菜是由北京市农林科学院蔬菜中心从北京地方品种细皮白芹菜中选育出来的品种，植株高70～80cm，直立、实心、纤维少，质地脆嫩，芹菜香味稍淡，品质好。适于保护地越冬茬栽培和春季设施栽培。

2. 意大利冬芹

意大利冬芹是从意大利引进的优质高产芹菜新品种。株高85cm，单株重250g。叶柄粗大，叶柄基部宽1.2cm，厚0.95cm，质地脆嫩，纤维少，药香味浓。既能耐35℃的短期高温，又能耐-10℃的短期低温。适于我国广大地区栽培。

3. 嫩脆芹菜

嫩脆芹菜是从美国引进的品种。植株高75cm左右，叶片绿色，抗病性稍差，生育期110～115天，一般亩产可达到7 500kg。高的达1万kg以上，平均单株重2kg以上。

4. 康乃尔619芹菜

康乃尔619芹菜是从美国引进的黄色类型的品种。植株较直立，株高60cm以上，叶色淡绿，叶柄黄色，质地嫩脆。抗茎裂病、缺硼症，易感软腐病，单株重1kg以上，亩产可达6 000kg以上。

另外，还有美芹、文图拉芹菜、菊花大叶芹菜、意大利夏芹、佛罗里达683芹菜等品种。

四、病虫害防治

1. 斑枯病

(1)识别：斑枯病又叫叶枯病。叶子发病时病斑呈现圆形油浸状，为淡褐色至褐色，边缘较明显。严重时叶子干枯。叶柄感病病斑呈长圆形，稍凹陷，病斑表面长有小黑点。6～8月份高温多雨季节发病严重。

(2)防治方法：用80%代森锌或75%的百菌清600～800倍液

或 50%代森铵 800～1 000倍液喷雾,每 8～10 天喷 1 次,药剂要交替使用,连喷几次就能达到防治目的。

2.芹菜斑点病

(1)识别:叶片初发病时有黄绿色水浸状圆斑,后变褐色,四周为黄色;叶顶部及叶柄上发生圆斑或条斑,后变褐色,稍凹陷,潮湿时产生白霉。

(2)防治方法:可用 75%的百菌清可湿性粉剂 600 倍液,80%代森锌可湿性粉剂 600 倍液进行防治。

3.蚜虫

发现蚜虫,要及时喷 40%乐果乳剂1 500倍液消灭。

第九节　香菇的栽培

香菇营养丰富,含有大量的蛋白质、氨基酸和甘露醇,历来是菜中珍品,深受广大群众喜爱。香菇不仅可以食用,药用价值也很高,经常食用香菇,对降低血压,防治感冒以及抗病毒都有一定作用。福州医院已经成功地研制了"香菇抗癌注射剂",经临床应用效果良好。

一、生物学特性

香菇是一种木腐菌,生长所需的主要营养成分是碳水化合物和含氮化合物,也需要少量的无机盐、维生素,香菇生长发育主要是依靠分解吸收菇木和培养料中的养分。

1.营养

碳源是香菇生长发育的主要营养来源,碳源来自有机化合物如糖、有机酸等。氮素是提供香菇菌丝合成原生质及细胞结构物质所不可缺少的营养元素。氮源以有机氮为好,如蛋白质、氨基酸等,麸皮中含有较多的氮,可以满足香菇生长的需要。矿物质即无机盐，主要是磷、镁、钙、硫、铁、钴、锰、锌、铜等。这些无机盐有的构成香菇细胞成分，有的参于香菇体内营养代谢。香菇菌丝的发育需要大量的 B 族维生素。

2.温度

香菇属于低温和变温结实性的菌类，温度适宜，才能生长发育。孢子萌发的适宜温度是 15～28℃，以 22～26℃最适宜。香菇菌丝耐低温、怕高温。25℃左右菌丝生长旺盛。在 -8℃的条件下，一个月也不死亡。超过 34℃菌丝停止生长，40℃以上则死亡，子实体生长阶段要求温度 5～24℃之间，以 10℃为宜。对菇房温度的调节，可采用加温和通风降温的办法进行。

3.空气

香菇属于好气性真菌，各生育阶段都需要新鲜空气。空气中正常的 CO_2 含量为 0.03%，如果空气中 CO_2 的含量达到 0.1% 时，子实体生长受阻，易开伞。

4.湿度

水分是维持香菇生命的重要条件。香菇所需要的水分包括两个方面：一是培养基内的含水量；二是空气相对湿度。出菇阶段基内含水量应保持在 50%～55%，空气湿度不低于 80%为宜。子实体发育期，空气湿度保持在 55%～70%最好，这样容易出现花菇。子实体在较干燥的环境中发育，质量好，比重大，干品产量高，白花菇达 80%以上。

5.光照

香菇生长发育对光照的要求不高，菌丝生长一般不需要光照。在弱光条件下比在强光条件下长得好。子实体生长需要光照。

6.酸碱度

菌丝生长的适宜范围是 pH 值在 3～7 之间，而以 4.5～5.5 为宜。酸碱度的调节：如培养基偏酸，可加 10%氢氧化钠溶液进行调节；若偏碱，可加入 3%的盐酸溶液中和。

二、栽培时期及制种程序

一般在9月中下旬至10月上旬进行栽培,旬平均气温不超过25℃,接种后60天,旬平均气温不低于10℃。香菇菌种生产包括培育母种、原种和栽培品种3个程序。配制母种培养基,分装试管,灭菌消毒,然后选择优良菇种分离母种,选优后扩大原种,繁殖栽培种。母种:用香菇的孢子或子实体组织分离培养出来的第一次纯菌丝体,称为母种。选择的菇种经认真分离,经过提纯、筛选、鉴定后方可作为母种。原种:将分离培养得到的母种扩大接种到木屑培养基上,培养出来的菌丝体,称为原种。每支试管的母种可移接4~6瓶原种。栽培种:把原种再扩大到木屑培养基上或枝条培养基上进行繁殖,供大面积栽培需要,这样培育出来的菌丝体称为栽培种。每瓶原种可接50~80瓶栽培种。

香菇菌种栽培示意图见图2-3。

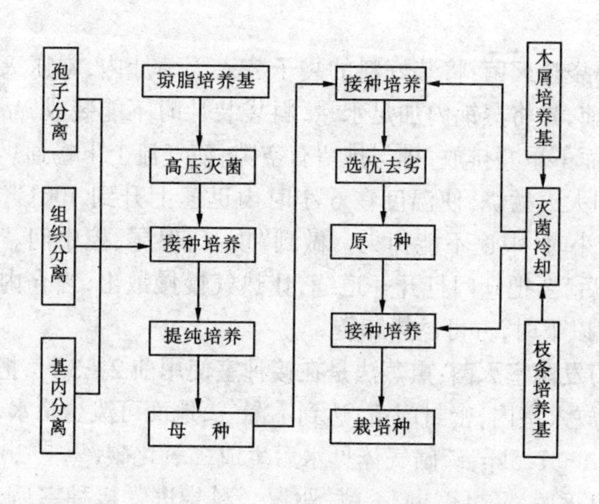

图2-3　香菇菌种生产工艺图

三、栽培技术

1.配料与装袋

用锯木厂的杂木屑时，必须搭配 50%的新鲜木屑，以利于香菇菌丝生长。每间房子需木屑1 000kg，麸皮 200kg，50%多菌灵 1kg，加水1 200kg 拌入料中，有利于杀灭杂菌。料水的比例为 1:1，混合均匀，干湿度以手握成团为标准，不能握出水滴，松手即散，菌袋内含水量 56%为宜。培养基配制后，立即进行装袋。按照 24cm×55cm 规格的栽培袋，一般每袋装干料 2kg 左右，湿料 4kg 左右。装袋时一头先扎口并烧融，装袋要掌握“宁实勿虚”的原则。把袋装满就转入扎口并且要扎紧，每间房子按 500 袋为合适。

2.灭菌与接种

香菇培养基多采用常压高温灭菌的方法，达到杀灭有害生物的目的。

(1)袋料灭菌：将装好料的袋子装入灭菌灶内，常压灭菌。料袋进灶前，先将蒸锅内加足水量，料袋装灶时不能装成“品”字形，要自上而下重叠排放，排与排留有空隙，使气流上下畅通。袋进仓后，立即大火猛烧，使温度在 6 小时内迅速上升到 100℃，并持续 20～24 小时，中途不能掉火。做到“攻头、保尾、控中间。”达到灭菌要求后，要把仓门打开一道缝，让热气慢慢散出，当仓内温度降至 60℃以下时，方可趁热卸袋。

(2)发菌室灭菌：熏蒸法是在接种室使用前 2～3 天，把出锅用的工具放入室内，密封门窗，达到不漏气，地面可泼少量水，然后点燃硫磺 1～1.5kg，硫磺气体见水后生成二氧化硫，熏蒸 20 小时以上，既可灭菌，又可杀虫、杀螨、驱鼠。料袋进入接种室后，当袋温降到 30℃以下时，把菌种接种用的工具及桌凳全部放入室内，用甲醛进行第二次熏蒸消毒，每间房用量为 1～1.5kg，放进小锅或盆内加热蒸发。使之全部气化,8～10小时后,即可达到消毒目的。接种方法一般用枝条菌种:接种时一般2人1组;1人拿菌袋用酒精棉呈直线擦过去,另1人左手握着菌种瓶口端,让尖端垂直插入袋内,齐端留在外面3～5mm,不得插歪,以免感染杂菌。每袋"品"字形接3行,每行等距接3穴,1瓶菌种接10袋。接过种的菌袋按"井"字形堆高5～6层或整齐地排放在培养架上。然后每间用500g甲醛泼在空间,密闭门窗,进入发菌期管理。

3.发菌与浸水

接种后,1～6天菌丝开始萌发定植,此时袋温比室温低1～3℃,室温可控制在28℃,室内相对湿度控制在70%以下。

发菌7～15天,菌丝萌发生长4～5cm,要检查发菌是否正常。如发现杂菌,要及时搬出培养室进行处理,室温保持在24～27℃。注意通风。

发菌16～25天,菌丝相连,把菌条抽掉,让氧气直接进入菌袋深处。通氧后,菌温在12小时内迅速升高,管理要点是,打开门窗疏散菌袋,防止高温烧坏菌丝。

发菌26～45天,这一阶段是菌袋内瘤状物形成阶段,瘤状物形成厚薄、好坏,直接影响出菇,管理要点是适当打孔增氧,翻堆散热,严防高温烧坏菌丝,温度控制在25℃为宜。谨防30℃以上,如果30～45天没有起瘤状物,证明在这段时间内温度偏高或严重缺氧,将会影响正常出菇。

发菌46～60天,是营养转化高峰阶段,管理方法:45天出现转色现象,60天转色结束,伴随着转色,仍有起瘤状物的现象,同时会出现一定量的分泌色素。菌丝由白变棕,即白→棕不能出现黄色,这段时间温度绝对不可升高,否则影响产量。如果种植较晚(秋分后)进入转色阶段,自然气温降得很低,为了保温,多采取关闭门窗不通风或少通风,这样会造成缺氧,转色不好,影响质量。在正常条件下60天转色后开始出菇,直到翌年3月是出优质花菇的最佳时期,若培养室保温好,保证室内空气新鲜,能维持正常发菌温度,可继续培养20天时间,这是进一步提高产量的重要途径。80天后袋内菌皮变为褐色,发菌结束。

发菌结束后,菌袋重量下降,是因为失水造成的,因此应将菌袋上均匀地打孔3～4个,压入水中,根据失水情况进行浸袋,一般浸24小时即可。菌丝体在标准条件下培养的时间越长,对提高产量越好,但进入转色中后期(转色70%～80%)不进行催蕾措施处理会影响出菇质量。

4.催蕾与上架出菇

菌袋转色后即进入出菇阶段,催蕾期的管理要点是:人工拉大温差及干湿差,温度控制在15～20℃,湿度85%～90%,配合通风,进行温差刺激,3～5天菇蕾会大量出现。冬季催菇以保温为主,方法是:①室内架子上催菇,菌袋整齐地排放于架子上,袋与袋之间相距2cm,室内放1～2个火炉,把温度控制在15～20℃之间,每天通风3次,每次1小时左右,排除煤气,确保空气新鲜。②在棚内催菇,白天利用太阳光控制袋内温度15～20℃,晚上用火道或煤火炉加温至8～15℃,每天直接喷水3次,棚内湿度90%左右。③堆积催菇,把菌袋从水中捞出后,菌袋按"品"字形堆高6～8层,盖上薄膜,外面再盖上保护物,每天通风3次。④单个排立催菇,把菌袋错位排立在地面上,白天上面覆盖薄膜,晚上再加盖草苫保温,每天通风3次,每次30分钟,中午通风时结合喷水进行,以便增加湿度。

5.采收与复菌管理

香菇子实体形成后,必须掌握它的成熟情况以便及时采收。菇大、盖圆、柄正的菇作为保鲜菇采收,当菌盖将开时要及时采收。花菇、菜菇菌膜刚裂开时采收。

要注意采菇方法:摘菇时左手提菌袋,右手大拇指和食指捏紧花菇菌柄的基部,先左右旋转后,再轻轻向上拔起,不要让菇脚残留在菌袋上,以免菇脚烂在菌袋上影响以后的出菇。如果基部较深,可用小刀从菇脚基部挖起,不能拔掉培养基,损伤菌袋表面的菌膜。要选择适宜的采摘时间,一般是晴天上午采菇。要加强菌袋保护,防止阳光曝晒。刚收完一茬菇后,菌丝体内的营养供给了香菇,使菌丝生殖能力下降,这时若接着浸水催菇,出菇质量差,生长慢,长不大,遇到干、冷天气易萎缩,所以要用菌袋复菌。冬季复菌气温低,应把菌袋放在培养室里复菌,温度保持在 23~27℃,湿度 80%左右,复菌 15 天。每天通风 3 次,每次 40~60 分钟,温度低可以加温。春季复菌,气温升高,香菇采收后对菌袋要妥善管理。不能随地乱放,更不能长期让日光曝晒。菌袋晒得时间过长,表皮菌丝在光的作用下,形成高温,严重缺水,减弱菌丝的生命力,表皮干死,菇盖薄、开伞快,浸水后易产生霉菌,菌袋变软,其复菌时间一般在 10~15 天,标准是采菇处菌丝发白吐黄水。

复菌方法是:①在菇棚附近按“井”字形 5~7 层堆放,上面盖上稻草或秸秆遮光,温度 20~25℃,湿度 60%。②在菇棚内复菌,上面盖遮阴物和适当通风,确保空气新鲜,棚内适当泼少量水,湿度达 70%。③浸水后复菌,菌袋浸水后直立排放在地上,让风吹日晒,使表皮干燥,夜间盖膜经 5 天左右,菌丝即可健壮成长。这样可以连收几批,直到春季。

四、栽培成本

香菇栽培成本包括直接成本和间接成本,现以生产种植2 000袋香菇为例,列出栽培成本如表 2-2、表 2-3。

表 2-2　种植香菇2 000袋直接费用

项　目	单位	用量	单价(元)	金额(元)
木　屑	kg	4 000	0.50	2 000
麦　麸	kg	800	1	800
石　灰	kg	8	0.12	1
40%多菌灵	kg	2～4	16	32
聚乙烯膜	kg	26	10	260
菌　种	瓶	220	2.8	616
甲　醛	kg	8	4	32
酒　精	kg	2	6	12
硫　磺	kg	6	2.5	15
灭菌煤或柴	kg	1 000	0.26	260
加温煤	kg	2 000	0.26	520
合　计				4 548

表 2-3　种植 2 000 袋香菇间接费用与投工

项目	造价(元)	折旧费(%)	应摊销(元)	投工项目	劳动日(个)
灭菌灶	800	20	160	备料	3
竹　竿	480	20	96	拌装袋	28
砖	156	20	31	灭菌	8
7m 宽棚膜	320	50	160	接种	16
其他用具	100	20	20	以后管理	185
合计	1 856		467		250

果 树 篇

第三章 果树栽培各论

第一节 苹果的栽培

一、经济意义

苹果是落叶果树的主要树种，在世界上分布很广，是世界四大水果之一。这些年来随着改革开放和社会主义市场经济的发展，人民群众的生活水平不断提高，对苹果的需求量也越来越大。种植苹果每亩收入几千元乃至上万元，种苹果也是一个致富的有效途径。舞阳县吴城东王村果园的调查情况表明，平均每亩收入5 000余元，较同等土地种植粮食作物的价值要高出5～6倍。

二、生物学特性

1. 优质高产的生态条件

(1)温度：苹果原产于春夏季空气干燥，秋冬季冷凉的地区。温度是影响苹果生长的主要因素。国内外优质高产园的气温条件为：全年平均气温8.5～14℃，生长季节4～10月份平均气温在12～18℃，夏季6～8月份18～24℃最宜苹果生长。昼夜温差大于10℃的地区，含糖量高、着色好。

(2)降雨量:生长期4～10月份降雨量在500～600mm的地区均适宜栽植苹果。如果雨量过多易引发果实苦痘病等病害。

(3)光照:苹果是喜光性植物。因此,在建园栽植密度和修剪等方面,给苹果的生长与结果创造一个良好的光照条件,以达到优质高产的目的。

2. 生长结果特性

主要器官和功能:苹果有根、茎、叶、花、果实、种子6大器官,根、茎、叶是营养器官,花、果实、种子为生殖器官。根具有吸收水分和养分的功能,茎具有支撑和运输水分和养分的功能,叶片是果树进行光合作用的主要器官。花是适应于繁殖作用的一种带有变形叶的短枝,果实就是食用部分。

三、土肥水管理

1. 土壤管理

深翻扩穴,改良土壤对苹果根系的生长和提高产量具有明显的效果。例如山东栖霞县古村,山地国光园深翻改土前,株产不足50kg,深翻2～3年后,根系密度增加,平均株产超过100kg,增产160%。另外,还要进行中耕除草和秋耕。

2. 施肥

(1)苹果需肥特点:苹果吸收主要矿物质元素随季节和树龄而变化。未结果的树对氮的吸收,自春到夏随气温上升而增加,8月份达到高峰。磷的吸收与氮相似。钾的吸收随新梢旺长而增加,6月份达到高峰。结果树对氮的吸收与未结果树不同,果实迅速膨大时,氮的吸收量不增加,而磷、钾吸收量增大。

(2)施肥的种类和数量:基肥有猪圈粪、人粪尿,牛、马、羊等厩肥,绿肥等;追肥有尿素、碳酸氢铵、复合肥等。施肥数量因园地品种、树龄、树势、结果量的多少而不同。幼树期株施人粪尿15～20kg、硫酸铵0.5kg。初果期每株施土粪100～150kg或人粪尿

50kg,施纯氮 0.5kg。

(3)施肥时期和方法:基肥一般强调秋施基肥,在中熟品种采收以后和晚熟品种采收之前,即 8 月中下旬和 9 月上旬这个期间施用最合适。这时施伤根易愈合,根吸收力强。

追肥又称"补肥",重点时期应是早春和采收前后。萌发前追肥以速效氮为主,花后追肥以氮、磷为主,果实膨大期追肥以钾为主,采收后追肥以氮为主。施肥方法有土壤施肥法和根外施肥法,土壤施肥法一般多用环状沟(如图 3-1)、放射沟(如图 3-2)、条状沟及全园撒施等方法。根外追肥一般在阴天或一天中的下午 4 点以后进行,喷肥种类从氮、磷、钾到铁、锌、硼等元素。

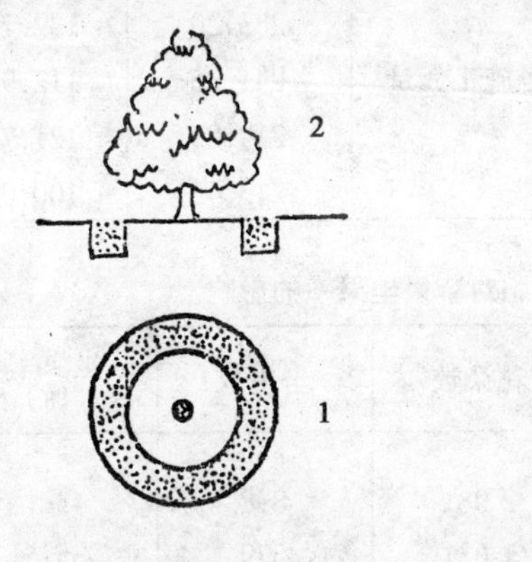

图 3-1 环状沟施肥法

1.平面图 2.断面图

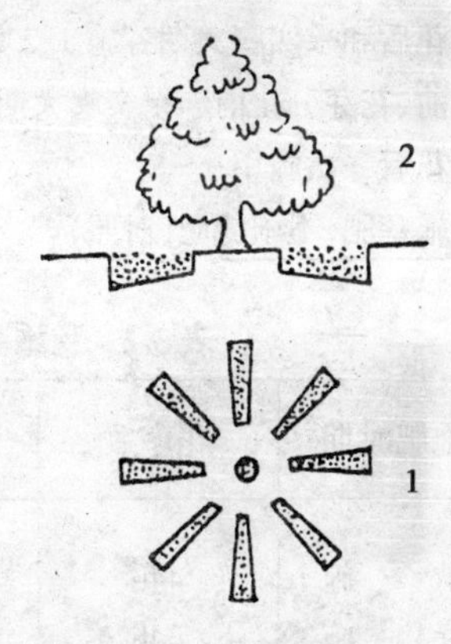

图 3-2 放射沟施肥法

1.平面图 2.断面图

不同时期施氮肥对国光苹果产量的影响见表 3-1,秋施基肥对苹果坐果率的影响见表 3-2。

3.灌水与排水

从全年苹果物候期来看,每年至少要浇 3 次水。芽萌动期浇水,在 3 月中旬前后;开花后灌水,在 5 月下旬前后;封冻前灌水,多在 11 月上中旬土壤封冻前进行。灌水量据试验,滴灌每亩

$65m^3$，畦灌 $120m^3$，漫灌 $300m^3$。降雨过分集中造成果园积水时要及时排除，否则积水严重会引起苹果落叶、烂根甚至枯死。

表 3-1　不同时期施氮肥对国光苹果产量的影响

（17～22 年生，辽宁省果树研究所，1960～1965 年）

施肥时期及方法	产量（6 年平均）（kg/株）	比　较（%）
花前一次施用	244.65	114.6
花芽分化前一次施用	287.60	134.7
果实膨大期一次施用	247.95	116.2
花前和花芽分化前各施 1/2 量	259.75	121.8
落花后和果实膨大期各施 1/2 量	283.20	132.7
花前、花芽分化前和果实膨大期各施 1/3 量	241.05	112.9
落花后一次施用	259.85	121.7
只施基肥，不施氮肥（对照）	213.45	100.0

表 3-2　秋施基肥对苹果坐果率的影响

施肥时期	花序数	花朵数	坐果数	坐果率（%）
秋　施	443	2 081	898	43.1
春　施	348	1 631	579	35.5

四、整形修剪

1. 生产上常用的树形

苹果树形很多，如疏散分层形（如图 3-3）、自然开心形、圆柱形、小弯曲半圆形等。运用最多的是疏散分层形。全树 5～7 个主枝，在中心干上疏散分层排列，第一层 3 个主枝，第二层 2 个主枝，第三、第四层各 1 个主枝，各层主枝错开延伸，充分利用空间。层与层之间要有合理的层间距，还要有层内距，根据树冠大小不同而定。主枝上分布侧枝。

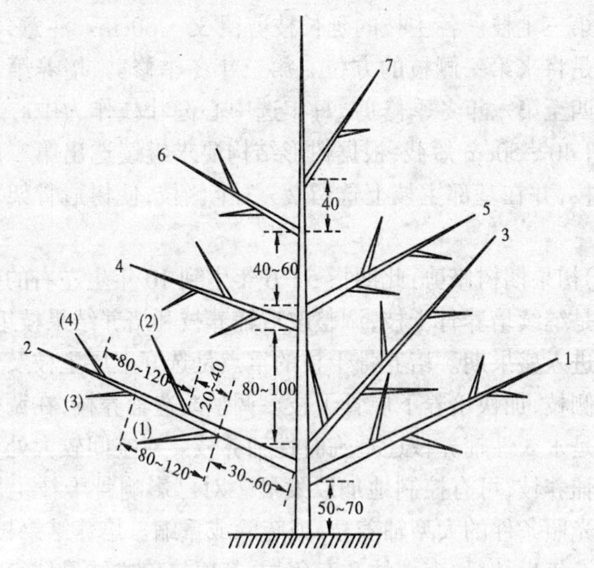

图 3-3 疏散分层形模式图(单位:cm)

1,2,3,4,5,6,7 为主枝顺序;(1),(2),(3),(4)为侧枝顺序

2. 丰产树体的结构特点

一般丰产树的结构特点是低干、矮冠，少主干多侧枝，角度开张，利用辅养枝结果。枝量足，枝组分布合理。叶幕成层，内外有光。

3. 不同年龄时期的修剪

(1)幼树期修剪：栽后在 60～80cm 处定干，第一年冬季的修剪，首先在顶端选一个生长健壮的枝作中心干的延长枝，其下能选 3 个主枝时，中心干延长枝一般在 40～50cm 处短截。如选不出 3 个主枝，可在下一年选第三主枝。第二年冬季修剪，将中心干顶端直立健壮的第一枝作中心干的延长枝，在 40～50cm 处短截。上年未能留出第一层三主枝的可留剪口下第三枝作为第一层三大主枝中的第三主枝。各主枝的延长枝剪留 35～50cm。注意，剪口下第三芽是将来第一侧枝的方位。第三年冬季修剪，培养第二层主枝。第四至第六年冬季修剪，每年选中心健壮枝作为中心干的延长枝，留 40～50cm 短截，根据树形结构要求继续选出第二层及第三层主枝，并在基部主枝上选留 2～3 个侧枝，使树冠骨架基本形成。

(2)初果期树修剪：此期指 5～6 年生到 10 年生左右的树。修剪任务是继续培养骨干枝，调整改造辅养枝和培养结果枝组，使树体尽早进入盛果期。培养骨干枝的重点是选好上层主枝及各层主枝上的侧枝，加快培养下层骨干枝。调整改造辅养枝，在调整之前要明确是永久性辅养枝还是临时性辅养枝。对空间较大处可长期保留的辅养枝，可有控制地加以发展。对已影响骨干枝生长或影响冠内光照条件的大型辅养枝，或疏除或重缩。培养结果枝组，绝大多数一年生枝，如直立枝和竞争枝，都要培养成结果枝组。一般中庸枝，多采用先缓后截的方法。对徒长枝和强旺枝，则要先重短截，再去强留弱枝，减缓势力，然后缓放促花。

(3)盛果期修剪：此期是大量结果、产量最高的时期。这时的修剪任务是，注意保持骨干枝的结构，维持更新枝组，改善树冠内光照条件。稳定树冠大小，调节生长与结果平衡，延长盛果年限。

五、品种介绍

1. 新红星

原产于美国俄勒冈州，1953 年由罗伊比斯比发现的红星短枝型株变。1956 年定名，果色浓艳，品质优良，已风行全球。我国从 20 世纪 60 年代中期引入，目前我国栽植数百万亩。果顶有突出的五棱。底色黄绿，全面浓红色，鲜艳悦目，风味酸甜，9 月末 10

月初采收。

2. 首红

原产于美国，是新红星的枝变。1967 年发现，1976 年发表。它是元帅系的第四代芽变品种，20 世纪 80 年代开始引入，经实践观察，着色好，短枝性突出，是一个优良品种。形状着色同新红星。

3. 魁红

美国华盛顿州的 L·柯柏在 1964 年以电离辐射处理首红的枝条而得到的元帅系品种。是元帅系品种中惟一经人工辐射处理得到的无性系后代。1975 年定名，1980 年后引入我国，性状与新红星基本一致。

4. 红富士

是日本 1939 年以国光×元帅杂交育成的优质品种。1962 年定名推广，1966 年引入我国，目前已发展到 200 多万亩。果实近圆形，有的果稍有偏斜，果顶稍具五棱，阳面具有红霞和少量红条纹，果味酸甜，品质上等。要求有较高的管理水平。

5. 秦冠

1957 年由陕西果树研究所以金冠和鸡冠杂交而育成的新品种，1970 年定名。西北栽培较多。树势强健，树姿开张，3 年开始结果。丰产性强，平均单果重 200g 左右，底色黄绿，表面暗红色，10 月中旬成熟，而贮藏在果窖中可贮到第二年 5 月份。果肉乳白，肉质细脆，其优良性状在舞阳东王表现得尤为突出，这与该地方的土壤条件有着密切关系。

6. 华冠

是中国农科院郑州果树研究所以金冠和富士杂交而成。属金冠类型，具有优质、高产、耐贮等优点，平均单果重 170g。成熟时底色金黄，充分成熟后全面红色。

7. 新世纪

以富士和红月杂交而成，是由日本培育的。1991 年 2 月引入我国。果面有光泽和浓红条纹,平均单果重300g。

六、病虫害防治

1. 苹果红蜘蛛

苹果红蜘蛛又称苹果叶螨(见图3-4)。

(1)生活习性:在河南一年发生7~9代,均以卵在短果枝、果台和2年生枝上越冬。越冬代成螨的发生期比较整齐,与元帅品种的花期基本一致,一般8月中下旬可出现越冬卵,苹果叶螨既可两性生殖,又可孤雌生殖。7月末至8月上旬,果树受叶螨为害以后,对产量、质量及翌年的花芽分化影响很大。

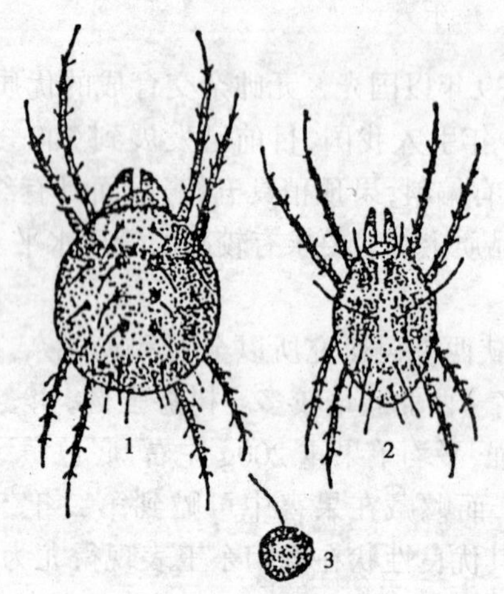

图3-4　苹果叶螨

1. 雌成螨　2. 雄成螨　3. 卵

(2)防治方法:有人工防治和药物防治两种。人工防治,冬季刮老翘皮消灭越冬雌虫。还可以在8月中旬在主干上捆麻袋片或绑草诱虫入蛰,冬季或早春解下烧掉。药物防治,在果树发芽前喷布3度~5度石硫合剂或5%蒽油乳剂,效果很好。花前或花后使用选择性杀螨剂，对天敌(食螨瓢虫类、花蝽类、草蛉类、蓟马类)影响较小，而对害螨的防治效果最佳。使用的农药有20%的三氯杀螨醇1 000～1 500倍液单用，若与50%硫磺悬乳剂200～400倍液混合使用有增效作用。也可使用73%克螨特200倍液。在生长旺季要加强对叶螨发生动态监测。每7～10天调查一次，7月底以前，百叶活动螨数为400～500头，8月上中旬以后百叶活动螨数达700～800头时为使用农药的防治标准期。

2. 金龟子类

(1)生活习性：为害苹果的金龟子较普遍的有6种，即苹毛丽金龟子(如图3-5)、东方金龟子、小青花金龟子、茶色金龟子、白星金龟子和铜绿金龟子。它们主要为害苹果的花蕾、花瓣、嫩芽、叶片和果实。被害叶片常残缺不全或全部被吃光。

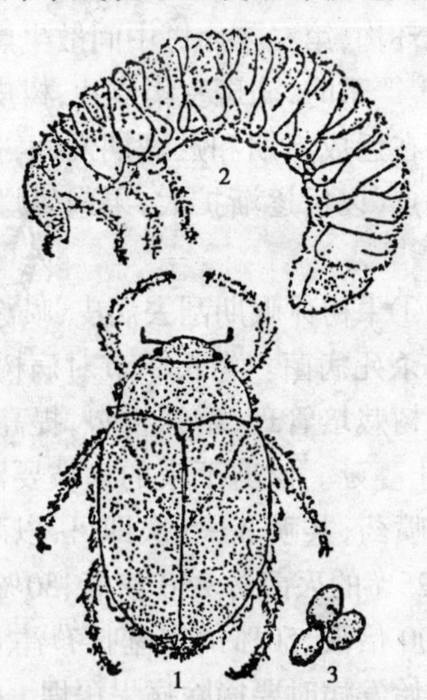

图3-5　苹毛丽金龟子

1. 成虫　2. 幼虫　3. 卵

(2)防治措施：成虫发生期利用早晚成虫不爱动的习性(即假

死的习性)，振动枝叶使其落地后进行捕杀。利用趋光性可用黑光灯或火堆诱杀。苹果开花前，树上喷洒50%对硫磷乳剂或50%的杀螟松1 000倍液杀灭成虫。在成虫为害盛期可喷50%马拉硫磷1 500倍液、75%的辛硫磷1 000～2 000倍液、50%速灭威500倍液，杀虫效果都很好。防铜绿金龟子可喷石灰过量式波尔多液(石灰5kg，硫酸铜1kg，水150kg)。另外利用成虫入土和在土中越冬的习性，适时用药处理土壤。

3. 苹果轮纹病(粗皮病)

(1)病害特征：它是苹果的主要病害。主要为害果实、枝干，也为害叶片。金冠果感病率最高，采收一个月后烂果可达30%。枝干受害时，以皮孔为中心，产生红褐色近圆形的小病斑，直径0.3～3cm不等。病斑中心逐渐隆起瘤状，以后病斑边缘龟裂，与健康树皮形成一道环沟，第二年病斑中间散生黑色小点粒，即病菌的分生孢子器，发生严重时，病斑密集成片，树皮粗糙，造成生长衰弱或死亡。果实多在近成熟期和贮藏期发病，初期以皮孔为中心产生水渍状褐色斑点，以后逐渐扩大，果肉腐烂，表面具有明显的同心圆环。

(2)防治措施：①果树休眠期刮去病皮，喷涂杀菌剂，可喷5度(波美度)石硫合剂杀死病菌。生长季节对病树进行重刮皮，除掉病组织。②加强果树栽培管理，增强树势，提高抗病能力，发现病株要及时铲除，防止蔓延。修剪下来的病枝要清理出果园。③从5月下旬开始首次喷药，共喷3～5次即可，以耐雨水冲刷的波尔多液为好，也可用25%的灭菌丹250倍液、50%退菌特800倍液、50%的多菌灵1 000倍液、50%的甲基托布津800倍液等药剂进行防治。④果实开始发病时要摘除病果深埋。⑤于落花后一个月内进行果实套袋，每袋套一果。

4. 苹果早期落叶病

(1)发生规律：苹果早期落叶病的4种病菌都在病叶上越冬，

次年由孢子借风雨传播侵染。早期落叶病是几种叶斑病的总称，最常见最重要的有苹果褐斑病、灰斑病和轮斑病3种。在4月下旬至5月上旬是圆斑病和轮斑病开始发生的时期，5月中旬进入发病盛期；6月中旬褐斑病开始发生，7月中旬至8月雨季是发病盛期；9月份圆斑病和轮斑病再次发生。感病程度因品种而不同。金冠、元帅、红玉易感染褐斑病，国光易感染圆斑病和轮斑病。

(2)防治方法：①秋冬季节，清扫落叶、剪除病枝烧毁或深埋。夏季剪除无用的徒长枝，及时中耕除草改善通风透光条件，降低果园相对湿度。②药剂防治：自发病前(5月上旬)开始，每10～20天喷一次杀菌剂，共喷4～6次。可用50%扑海因1 000倍液与1∶2∶240倍液的波尔多液交替施用，也可用90%乙磷铝1 000倍液、20%敌菌酮300倍液、75%百菌清800倍液、多氧霉素2 000倍液等杀菌剂交替喷施，效果良好。③加强肥水管理，增强树势，提高抗性。

七、提高果实品质和采收

1．苹果果实品质的主要指标

果实品质的指标包括大小、形状、色泽、风味、硬度、耐贮性、耐运性等。提高果实品质的根本措施是选育优良品种；再者是根据品种的特性，选择适宜的立地条件(如土壤、温度、水分)进行栽植，充分发挥其优良性状。如秦冠在吴城东王表现特别好，正像青香蕉在灵宝寺河山表现特别好一样。

2．提高果实品质的措施

应从立地条件和管理上去考虑。加强土壤管理，不断提高土壤肥力，使树体生长健壮，为优质高产打下基础。要采取科学的配方施肥。注意整形修剪，搞好通风透光。依树定产，合理负担。适时采收，注意采收质量，改进运输和贮藏方法。做好防治病虫害工作，应用植物生长调节剂，选用优良品种。

3. 果实的采收

(1)适时采收:过早采收由于果实不成熟、产量低、品质差、耐贮力低,还易引起生理病害,如苦痘病等。过迟采收,采前落果重的品种损失严重,并且对树体养分消耗多,降低越冬能力,加重大小年现象。

(2)果实成熟度的指标:①果皮的色泽,底色由绿变黄是成熟的表现。②种子的色泽,成熟的种子色深。③果肉硬度,应在坚硬成熟度时采收,便于长期贮存。④含糖量,测定葡萄糖含量。⑤糖酸比。⑥日历时期,一个地区各品种每年的成熟期差不多。

(3)采收方法:摘果前先剪指甲;采时戴上手套,用手掌托着果实向上轻轻一抬或略一旋转果柄即与树体分离。采时动作要轻,采下轻轻放入筐内,以免损伤;采收时要带上果柄,这样既保证质量又不易感染病害。

第二节　石榴的栽培

一、经济意义与栽培状况

石榴是人们喜爱的水果,其风味独特,果色美丽,被誉为"水晶珠玉"。在我国及东南亚地区,石榴是中秋佳节果品,象征团圆、长寿和吉祥。石榴果实中含有丰富的营养物质。碳水化合物占17%,苹果酸及柠檬酸占0.4%~0.9%,含维生素C 11mg/100g,比苹果和梨的含量都高。石榴皮及叶中平均含有22%的鞣质,可以用来作棉、毛、麻、丝等工业的天然原料。在中药上,主治咽喉渴。根可驱除绦虫,果皮可止痢、止泻,花瓣止血,叶片治眼疾,其用途很多。石榴花色彩浓艳,灿烂如火,自栽培以来就被视为珍贵的庭院观赏植物,并且对大气中的二氧化硫、铅蒸气、硫化氢等有毒物质有很强的吸附能力。在美化环境、净化空气、保证人民的身体健康方面起到了积极作用。石榴适应性强，丰产稳产。一般管理水平，5 年生稀植园每年每亩收入 2 500 元。6 年生密植园，单株平均产量 20～25kg，每亩收果 2 000～3 000kg，亩收入上万元。发展石榴生产，对于开发土地资源，加快农村发展，增加农民收入，美化生活环境有重要的意义。

石榴原产于波斯到印度西北部喜马拉雅山一带。在我国已经有 2 000 多年的栽培历史。石榴是由西汉张骞出使西域时引回来的，首先在我国新疆叶城一带栽培，现在已遍及全国。仅河南省现已发展到 5 万余亩，主要分布于开封、封丘、荥阳三大石榴生产基地。

二、生物学特性

石榴的生长发育，在生长期内有效积温需在 3 000℃ 以上，在冬季休眠期，能耐一定的低温，但气温在 -20℃ 时大部分冻死。在生长季节需要充足的水分，如水分不足，会出现干果及落果现象。石榴是喜光植物，光照充足生长健壮，结果良好。对土壤酸碱度要求并不严格，pH 值在 4.5～8.5 之间均可。

三、育苗与建园

石榴育苗的方式较多，可用种子播种繁殖，还可用分株、压条、扦插等方法进行繁殖。用种子繁殖结果晚，且性状不稳定，因此生产上一般不用这种方法。石榴的枝条不经过贮藏，由树上直接采下即可进行扦插。但不同地区适期有所不同，长江以北春、秋两季较好。河南省大部分地区苗圃地育苗时，硬枝扦插以春季 3 月下旬至 4 月上旬为好，绿枝扦插选 6 月上旬至 7 月中旬。

石榴扦插前应做好的准备工作主要是：

(1)苗圃地选择和整地：要选地势平坦、土层深厚、土质疏松肥沃并且有水利条件的地块。苗圃要深翻 40～60cm，每亩施腐熟的基肥 5 000kg,灌水保墒。按 1m 宽 10m 长作畦。

(2)母株选择和插条的采集工作:选品种纯正,早熟优质高产的植株作为母株,结合修剪采集插条。采集时应选择发育健壮,芽眼饱满,无病虫害的 1 年生或 3 年生营养枝或徒长枝。50～100 根一捆,挂牌标记品种名称、地点、数量、时间、采集人等,然后运到苗圃地用湿沙埋入沟内贮存备用。插条长度 15～20cm 为宜。枝条直径 0.5～1.0cm 的成活率高,苗木生长健壮整齐。插条上端在 1cm 处平剪下,端斜剪成马蹄形,剪口要光滑平整,以利于成活。

(3)掌握好激素处理的时间和浓度:①低浓度、长时间浸泡处理。将枝条浸入 0.01%萘乙酸(NAA)溶液中 3～4cm 深或浸在 0.005%吲哚丁酸(IBA)溶液中 12 小时。②高浓度、短时间处理。将枝条基部用0.05%～0.1%的吲哚乙酸(IAA)溶液浸泡 5 分钟。插条时按行距 20～40cm,株距 15～20cm。扦插斜面入土中,上芽露出地面,然后全园灌水且透墒。建园时,平原地区应选择交通方便、排灌良好的沙壤土、壤土为宜。栽植密度为株距 3～4m,行距 4～5m。每亩 33～55 株,丘陵地区株行距 2m×3m,每亩 100～110 株。栽植沟宜大不宜小,一般挖 1m 见方的树坑。一般每坑内施厩肥 50kg,掺入 0.5kg 过磷酸钙与上层熟土混匀。苗木栽植深度以使根基部略高于地平面为宜,然后浇透水使根基稍微下落,保持略低于地平面。

(4)苗木定植后的管理:包括苗木定干和修剪,及时浇水,除草和松土保墒,补栽苗木,病虫害防治等。

四、土肥水管理

1. 土壤管理

石榴园的土壤管理包括水土保持、土壤深耕、中耕除草与间作覆膜等。山区保持水土主要是修梯田,加高水埝等措施,深耕要结合秋施肥,为根系生长创造良好的条件。中耕宜浅,一般5～8cm,浇水或下雨后要及时进行,防止土壤板结。间作既可以充分利用土地和光能,又保持水土、抑制杂草,起到自养的作用。

2.肥料管理

(1)施肥时期:基肥是一年中较长时期供应树体养分的基本肥料,一般以迟效性有机肥为主,基肥最适宜的施用季节是果实采收后至落叶以前。追肥一般在生长季节进行,每年追施2～4次。①开花前追肥。用来满足萌芽开花、坐果、新梢生长所需要的养分,可减少落花、落果,提高坐果率,促进新梢生长。②幼果膨大期追肥。此期主要是促进幼果生长。肥料种类以氮、磷、钾配合使用。幼树每株施过磷酸钙0.25kg和人粪尿2～3kg。结果树每株施过磷酸钙1～2kg,人粪尿15kg。

(2)根外追肥:为了补充营养还要进行根外追肥。根外追肥常用肥料有以下几种:①氮肥:0.3%～1%的尿素喷洒,5%～10%人粪尿喷洒。②磷肥:常用过磷酸钙0.5%～3%、磷酸二氢钾0.3%、磷酸铵0.3%～0.5%喷洒。③钾肥:氯化钾0.3%、草木灰1%～5%、硝酸钾0.5%。④其他肥料:硼砂0.1%～0.25%、硼酸0.1%～0.5%、硫酸锌0.1%～0.5%、柠檬酸铁0.1%～0.2%、钼酸铵0.3%、硫酸镁0.3%。

(3)土壤施肥:土壤施肥的方法主要有:①环状沟施肥法。沟宽40cm、深35cm将土壤与肥料掺和填入沟内,覆土填平。②条状沟施肥法。③放射状沟施肥法。④穴施法。⑤全园施肥法。

3.水的管理

石榴园里浇水的方法本着节约用水,提高效率、减少土壤流失为原则,分为沟灌、盘灌、穴灌、喷灌、滴灌、漫灌几种。同时还要防止水涝。

五、整形修剪

通过整形修剪，调节石榴营养生长和生殖生长，使之达到平衡，创造高产优质的树形结构。

1. 丰产树形的结构

当前在生产实践中常用的树形结构有以下几种：①多主干自然圆头形。该树形的主要特点是主干多，有 4 个以上，每个主干着生侧枝和结果枝组，干高 50～60cm，一般主干上着生 3 个以上侧枝或大型结果枝组。树冠呈圆形。②单干式小冠疏散分层形。干高 50cm，只留 1 个主干。全树共有主枝 5～6 个，分为两三层轮状分布。层间距 50～60cm，侧枝及大、中、小结果枝组按层合理分布。③双干式扁圆形。该树形有两个生长匀称的斜生枝干组成。每个主干上直接着生侧枝，侧枝之间相距 50cm 左右，对称进行排列。

2. 丰产树形的特点

石榴丰产树形的特点是：①低干矮冠，干高 50cm。树高 2～3m。②枝量充足，枝组配备合理，主从分明，通风透光。

3. 幼树整形方法

石榴幼树整形方法是：定植当年在距地面 60cm 处定干。地面以上 30cm 以下的芽子全部抹除。当新梢长到 50cm 时摘心。第二年冬剪时，主要是短截骨干枝的延长枝，同时疏除一些过密枝、并生枝及病虫枝。

4. 盛果期的整形修剪

5 年后进入盛果期，此期要注意疏除根蘖枝、徒长枝、内膛过密枝、病虫枝、枯死枝、回缩衰老枝，使树冠保持良好的通风透光条件，以利于结果和果实着色。由于石榴的花芽一般着生在健壮的短枝顶部或近顶端，为混合芽。在修剪时，禁止短截修剪一些健壮短枝。对生长旺盛的辅养枝可采取春季 5～6 月份喷施 0.1% 的多效唑,8～9月份采用扭梢措施促进花芽分化。石榴盛果期树以疏枝缓放为主,谨慎短截。

六、病虫害防治

1. 棉蚜

(1)生活习性:在早春、晚秋因气温低,每10天繁殖1代;夏季天气温暖,4天即可繁殖1代。干旱情况下发生严重,6月下旬至7月上旬若出现天气干旱,常会出现来势凶猛的危害,常群集在寄主植物的嫩叶背面和嫩茎上刺吸汁液。

(2)防治方法:①农业防治。加强果园土肥水管理,合理施肥,病残枝、修剪枝一律带出果园烧掉。②消灭越冬寄主上的虫卵和蚜虫。冬天要消灭除石榴以外的越冬寄主如花椒、木槿、菊花、车前草等。早春蚜虫迁飞时用50%敌敌畏、乐果或一六〇五乳油1 000倍液喷洒防治。③利用瓢虫、草蛉等天敌防治蚜虫。瓢虫的成虫或幼虫,每日能捕食棉蚜数十甚至上百头。在石榴发芽、开花期幼虫发生时,可以在麦地用捕虫网捉大量瓢虫,放入石榴园中,防治效果很好。也可人工饲养草蛉。④药剂防治。从发芽到开花时防治,当田间有蚜率达到20%,每株有蚜30头时应立即喷药防治。使用乐果、敌敌畏、保棉丰、马拉松等稀释成2 000倍液,进行叶面喷洒。喷药防治以在各次有翅蚜大量发生以前,效果最好。

2. 黄刺蛾

(1)生活习性:黄刺蛾(见图3-6)成虫体长13～17mm,翅展开30～40mm。前翅黄色,上有两个褐色斑点近外缘处有似黄褐色扇形斑块,从顶角伸向后缘有斜线。老熟幼虫体长19～25mm,头小,缩入前胸,体黄绿色,背面有“8”字形紫褐色斑,每节有4个疣状突起,上生有毒枝刺。蛹黄褐色,潜藏在光滑而坚硬的似雀蛋形石灰质的茧内。茧长约12mm,质地坚硬。此虫在河南1年发生2代。以老熟幼虫在枝杈处结茧越冬。翌年5月份化蛹,6月份羽化出成虫。孵出的幼虫先在叶背面取食叶肉,留下叶片上表皮,留下圆形和半透明的小斑。在大发生时,能将全株叶子吃光。幼虫为害至9月份陆续老熟作茧越冬。

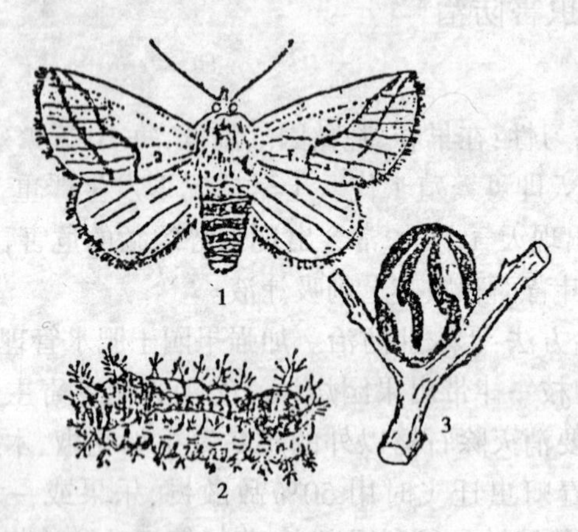

图3-6　黄刺蛾

1.成虫　2.幼虫　3.茧

(2)防治方法:①焚烧冬茧灭杀。结合剪枝剪破冬茧或剪下冬茧烧毁。②药物灭杀。幼虫发生时,喷洒50%敌敌畏1 000～1 500倍液或90%敌百虫,50%辛硫磷乳剂1 000～1 500倍液或青虫菌6号1 000倍液。③利用天敌灭杀。上海五齿青蜂和鸟类是黄刺蛾的重要天敌,应注意保护,以利用其灭虫。

3.石榴干腐病

(1)特征及生活习性:干腐病菌可以引起石榴枝条发生很多突起黑点,病斑周围裂开,导致翘皮剥离,枝条枯死。病菌还可侵染花器和果实。幼果发病症状一般是在萼筒周围发生不规则褐色病斑,后逐渐扩大变为深褐色凹陷裂口。果实籽粒也从病处开始霉烂,直至果实全部坏掉。干腐病为真菌病害,以菌丝或分生孢子器在果实和枝条内越冬,次年产生分生孢子侵染幼果和枝条。一般5月下旬开始发病,此菌靠雨水传播,伤口侵入。

(2)防治方法:①农业措施。搞好果园土肥水管理,提高树体的抗病能力,并结合冬季修剪,剪除病枝,收集病果集中烧毁。另外修剪时尽量避免大伤口,控制春季的剪枝,减少病菌从伤口进入。②药物防治。冬季可喷 40%福美砷 600 倍液或 3 度~5 度(波美度)石硫合剂;夏季 5~8 月份喷 3~5 次 1:1:200 倍(生石灰 1kg,硫酸铜 1kg,清水 200kg)波尔多液,或 40%多菌灵胶悬剂 600~800倍液。

4. 石榴褐斑病

(1)症状:褐斑病菌主要为害石榴叶片,受害叶片初期常出现浅褐色小斑点,以后逐渐扩大为黄褐色的圆形病斑,使整个叶片变黄而脱落,造成石榴的早期落叶病。

(2)防治方法:①清除病源。把病枝病叶集中烧毁。②提高植株抗性。加强土肥水管理,合理修剪改善通风透光条件,提高抗病能力。③药剂防治。7 月上旬至 8 月中旬生长季喷 1:1:200 倍波尔多液或 50%多菌灵可湿性粉剂 1 000 倍液,防治效果较好。

第三节 梨的栽培

一、经济意义及栽培状况

梨树是我国重要的果树,果实是市场上常见的鲜果之一,并且含有多种丰富的营养物质,除含 80%水分,8%的糖外还含有蛋白质、脂肪、碳水化合物,钙、铁、镁、抗坏血酸等。梨还具有润肺清心、消痰止咳、退热、解疮毒的医疗功效。经济价值也很高,因地制宜,发展梨树生产对增加农业收入,提高人民生活水平具有重要意义。我国梨的栽培已有 3 000 多年的历史。后魏贾思勰所著的《齐民要术》,对梨的育苗、嫁接、栽培、管理等有较详细的记载,说明那时我国梨树栽培已达到一定水平。我国梨的产量占国内水果产量的第二位。

梨的分布遍及全国。著名的梨产区有辽宁的北镇;山东栖霞,莱阳;河北赵县,晋县;陕西礼泉,乾县;安徽砀山等。

二、生物学特性

1. 生长结果习性

(1)根:梨实生砧木苗,主根发达侧根少。经移栽或苗木定植后侧根增加。梨树根多分布较深,可达3m。根每年有两次生长高峰。第一次生长高峰在5~6月份,8~9月份果实采收后,根系出现第二次生长高峰。

(2)叶芽:发育完全的叶芽具有鳞片、芽轴和雏梢三部分。梨比苹果萌发力高,成枝力较低。叶芽在春季萌发的过程长。

(3)枝:新梢生长有明显的阶段性。

(4)叶:梨叶具有生长快,叶幕形成早的特点。叶片在生长过程中,叶面无光泽,当停止生长时呈现油亮的光泽。亮叶期3~5天,光合作用最强。并继续维持60~70天。

(5)花芽:顶花芽结果为主,花芽大量分化期为6月上旬至7月下旬。从现蕾至开花往往只有5~7天。梨花为伞房花序,先开边花,梨大部分品种自花不实。

(6)果实:梨树有落花重落果轻的特点。落花从花开放到脱落约20天,第一次落果约在开花后30~40天。

2. 对环境的要求

(1)温度:春季气温达5℃以上芽开始萌动,10℃以上开花。花期遇-1.5℃低温,花易受冻害。昼夜温差大有利于提高果实品质。

(2)水分:梨树需水量比苹果树大,蒸腾系数为284~401,每生产1kg干物质需耗水300~500kg。

(3)光照:梨树是喜光树种。年需日照数为1 600~1 700小时，光照不足影响花芽分化和果实品质。

(4)土壤：梨树对土壤要求不严，沙土、壤土、黏土都可栽培。

三、土肥水管理

1. 土壤管理

深翻梨园，改良土壤，要在建园前或幼树期进行。在干旱地区，每年春季或初夏对土壤耕翻15～20cm，或在树下覆草、盖地膜提高抗旱能力。

2. 施肥

梨树的施肥要强调秋施基肥和春施追肥。基肥在梨采收后施，混入适量的速效氮肥效果更好。追肥要早，萌芽、开花前后分次施用。需肥量为每产100kg果实，田间耗N 0.23～0.45kg，P_2O_5 0.20～0.32kg，K_2O 0.28～0.40kg。据丰产梨园的实践，氮、磷、钾比例为1∶0.5∶1。

3. 灌水

在年降雨量650mm的地区，梨树虽能正常生长，但由于自然降雨的季节分布与梨树对水分的需要时期不一致，因此要提高产量和品质，还应当灌水。一般土壤含水量低于15%时，应进行灌水。

四、整形修剪

1. 树形

(1)主干疏层形：第一层主枝3个或4个，第二层2个，第三层2个，上层1个。有些品种为了限制树高和上强，于第二、三层主枝处落头，成为延迟开心形。

(2)自然圆头形：干高60～80cm，幼树期有中干，主枝自然分层，层间距50～60cm。第一层有3～4个主枝，第二层1～2个主枝，个别树有第三层。各层主枝自然分布，要上下互不重叠。各主枝上自由分生侧枝，最后形成圆头形树冠。

(3)小冠形：这是密植梨园树形模式之一。这种树形无主、侧枝之分，只是根据株行距大小，培养足够的长放枝组即可。所以小冠形树只有主干(90cm)、中心干、枝组基轴和枝组构成(见图3-7)。

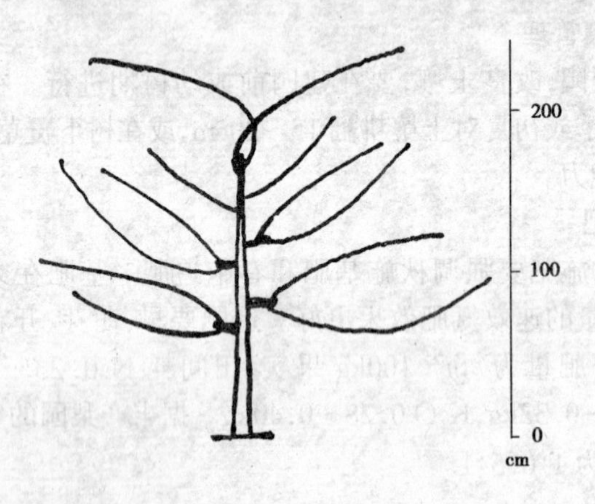

图 3-7　小冠形模式图

2．梨树修剪反应特点

梨树成枝低，所以梨树不能单纯用加重短截程度来提高成枝力。要想使成枝力低的品种增多长枝数量，对枝条要多用短截，少疏枝和靠由中、短枝转强，发生长枝。对长枝的短截部位要着重考虑留的长度和轻重，对春、夏梢部位芽的萌芽力和成枝力不必过多考虑。梨树由于顶端优势强，为保持骨干枝的从属关系，在决定短截长度时，要使中干与主枝，主枝与侧枝长度差异不要像苹果那样大，否则易发生中干过强、主枝过弱或主枝过强、侧枝过弱的问题。由于顶端优势，多年生枝回缩后，对剪口下第一枝的削弱作用不如苹果明显。可以较少应用留辅养桩的剪法。

无论是对 1 年生枝或多年生枝疏剪，对剪口以上部分的削弱作用不如苹果明显。

3. 不同树龄的修剪特点

1)幼龄树的修剪

修剪幼龄树时,修剪量要轻,多缓少疏,多利用辅养枝,要随枝作形。

(1)第一层主枝的选留:定干后第一年修剪时,成枝力低的品种选出第一层3个主枝比较困难。无论选1个还是选2个主枝,对选出的枝条,长度超过30cm的进行中度短截,不足30cm的不短截,将选作中干延长枝的适当短截,对选作主枝以外的中枝或短枝,不要短剪或疏剪。第二年幼树生长转旺,这些中、短枝可以转化为长枝,而且角度开张,可以供选作第一层主枝用。梨树第一主枝的角度35°~40°即可。

(2)主侧枝的培养:成枝力弱的品种要多留枝,少疏枝。多留的枝既可作为培养骨干枝的后备枝,也可作为早结果的辅养枝,待3~4年后枝条渐多,再逐步分清主枝和侧枝,进一步培养。侧枝在主枝上选留要灵活,坚持有空就留的原则。主侧枝的延长枝剪留长度:幼树一般在夏梢中下部短截。

(3)利用辅养枝:幼树期要多保留和利用辅养枝。通过对长枝的缓放、拉枝,促使形成果枝结果。

2)盛果期树的修剪

修剪任务主要是维持树冠结构,维持及复壮枝组,使树势健壮,高产稳产。

(1)保持中庸健壮树势:中庸健壮的标志是树冠外围以强旺的中枝或较弱的长枝,枝组数量多而健壮,短枝叶片多而大,花芽饱满。通过枝组的轮替复壮和外围枝的短截,继续维持原有树势。每年修剪量不宜忽轻忽重。

(2)维持树冠结构:盛果期树,骨干枝的延长枝要短留,以防延伸快、骨架软。随结果量的增加,骨干枝会自然开张。梨树一生中骨干枝的枝头往往需要多次更换以保持适宜的角度。

(3)改善光照：对外围发生枝多的树，要轻截外围枝，增加缓放，适当疏枝，使长势缓和。外围多年生枝过多过密，可以疏去一些。

(4)维持和复壮枝组：信阳果农掌握的标准是：内膛短枝大都要有4～5片健壮叶，每个短枝叶片每天要有2～3个小时见到阳光。当枝组过密时在冠内留健壮枝组，疏除瘦弱枝组，在冠外要留中庸健壮枝组，疏除强旺枝组。

(5)防止大小年：修剪任务是保持树势、培养壮枝。另一方面防止结果过多。

3)衰老树的修剪

这时外围枝抽生很短，产量开始显著下降，如果修剪适当，肥水管理跟上还能获得较好的产量并延长经济寿命。修剪任务是养根壮树，更新复壮枝组和骨干枝。

五、其他管理

1. 花期防霜

方法是增施肥料，霜冻前灌水或喷灌；果园熏烟；上年秋季喷0.2%～0.4%B_9，可推迟开花期3～5天，避免霜冻。

2. 人工授粉

据测定，雪花梨、茌梨每公斤鲜花出花粉22g，可供6 000朵花授粉需要。

3. 疏花疏果

疏花时间从花序分离到开花期都可。人工疏果一般在花谢后2周开始，一般只疏一次。茌梨枝果比3.8左右，鸭梨2.9左右。

4. 生长调节剂的应用

(1)促进形成花芽：在新梢上喷B_9、乙烯利、矮壮素。

(2)疏花疏果：鸭梨开花期喷0.002%～0.003%萘乙酸，有疏果作用。在谢花后两周喷0.15%西维因，也有疏果作用。

(3)果实催熟:利用乙烯利0.015%~0.05%在果实正常成熟前20~30天喷施。

六、河南地方品种介绍

河南省有三大梨树基地:一是以宁陵为中心的豫东谢花酥梨产区,二是孟津天生伏梨产区,三是泌阳瓢梨产区。

1. 宁陵谢花酥梨

豫东诸县和安徽砀山在秦朝时曾为砀郡,所以宁陵谢花酥梨也就是砀山酥梨。在豫东地区表现丰产、稳产、耐旱、耐涝。果实含糖高、风味好、果肉酥脆。平均单果重279g,最大可达800g。

2. 孟津天生伏梨

孟津天生伏梨又叫落地酥、夏梨。除孟津外,郑州、偃师、伊川等地均有栽植。平均单果重214g,最大350g。倒卵形或倒卵圆形,绿黄色,完全成熟后全黄色。7月下旬、8月上旬上市,一般可贮藏到11月底。

3. 泌阳瓢梨

泌阳瓢梨在泌阳栽培历史悠久。单果重220g,最大500g以上,瓢形或倒卵圆形,所以叫瓢梨。果面光滑,果色全黄,汁液多,酸甜适度,味浓、有芳香,品质上等。

七、国内外良种介绍

1. 茌梨

主产山东莱阳,因风味特佳而驰名国内外。树势强壮,叶片大而厚。果实多倒卵形,果实大,平均单果重225g,最大400g以上。果面绿黄色或黄色。栽后6~7年结果,9月中旬成熟,可贮到翌年2月份。

2. 鸭梨

原产河北定县。树势中强。果实倒卵形,近果梗常有斜状凸起，似鸭头状，故名“鸭梨”。平均单果重180g，大者可达500g。栽后3～4年结果。在河南9月上旬成熟。可贮藏到翌年4月份。

3. 金花梨

原产四川金川。树势中等。平均单果重500g，最大者1 000g以上，果实倒卵圆形，果皮黄色、汁多、味浓甜具香气。耐贮运，可贮至翌年4月份。嫁接后5年左右结果，10年左右进入盛果期。抗病虫害能力强。

另外还有原产四川苍溪的苍溪雪梨、原产英国的巴梨，中国农科院培育的早酥梨，河北定县的雪花梨等。

八、病虫害防治

1. 梨树黑星病

(1)症状：该病引起梨树早期落叶，影响花芽形成。叶片发病时在叶背主脉两侧及叶柄上密生黑色霉状物，即病菌分生孢子，严重时发展到叶表，最后变黄脱落；幼果发病时果面产生黑霉色斑块，进而病部木栓化，龟裂畸形，早落。成果发病时果面上最初出现淡黄色斑点，以后出现黑色霉层，病斑稍凹陷，最后造成龟裂或星裂。梨芽受害主要是在病芽梢上，即来年萌发后的花序或新梢基部布满黑色霉层，鳞片不脱落，不久干枯死亡。发病规律是病菌在病芽、病叶、病梢上越冬。翌年春，气温上升，空气湿度大，菌丝产生分生孢子。分生孢子萌发的适宜温度为22～23℃，28℃以上则不萌发。该病一般在4月上旬开始发病，最先出现在病芽梢上，是黑星病的主要初次侵染源。4月下旬至5月份是病菌侵染的关键时期，此时病芽梢产生大量分生孢子，借助风雨传播侵染，若阴雨天多则病害严重。进入7月份气温升高，病害停止发展。

(2)防治方法：①选抗病品种：如日本梨、茌梨、酥梨等。②发病初期人工摘除病芽、病丛枝，减少初次侵染源。③药剂防治：在梨树落花后(4月中旬)立即喷布石灰倍量式波尔多液200～240

倍，或45%代森铵1 000倍液，以后每隔15～20天喷一次，连喷几次。为了防秋季侵染，可在采收前半个月喷洒一次波尔多液。对波尔多液易产生药害的品种可喷多菌灵1 000倍液，或代森锌600倍液，或50%甲基托布津700～800倍液。

2. 梨树锈病

(1)症状：该病又称赤星病，本病为转主寄主病害。病菌除了在梨树上生活外，还必须在桧柏、龙柏等树上生活一段时间，才能完成一年的生活史。锈病主要为害叶片、幼果和新梢。叶片受害后叶片正面产生橙黄色小圆斑，逐渐扩大，直径4～8mm。病斑中央出现黄色小点即性孢子器，经20天左右，病斑增厚，叶面稍凹陷，叶背稍隆起并长出淡黄色毛状物即锈孢子器，最后病斑变成黑色，受害严重的叶片干枯脱落。病果畸形易落。发病规律：梨树锈病菌丝秋冬在桧柏组织内越冬，次年3月底至4月上旬出现冬孢子角。遇雨膨大形成橙黄色胶状物，表面分散出许多小孢子，小孢子借风传播到梨树的嫩叶、幼果上进行侵染。潜育期6～10天。冬孢子萌发适温为22～24℃，花期前后正是梨树锈病侵染高峰。叶片侵染后，10天出现性孢子器，25天左右叶背形成锈孢子器，7～8月份锈孢子成熟，但不能直接侵染梨树，而是借风力传播到桧柏上寄生，完成其生活史。梨树锈菌没有夏孢子阶段，而锈孢子不能侵染梨树。因而病菌对梨树的侵染一年只有一次，初次侵染没有再次侵染。春季雨水多风力大，锈病为害严重，反之则轻。

(2)防治措施：①在3km以内的桧柏、龙柏等转主寄主要全部砍掉，这是根本方法。②若中间寄主不能砍掉的，要在3月份冬孢子角吸水膨胀后喷波美3度～5度石硫合剂进行封闭，效果甚好。③在梨树谢花后喷布1:2:240倍波尔多液进行预防，或喷1 500～2 000倍粉锈宁，也能收到良好的防治效果。

3. 梨树褐斑病

该病在豫东地区发生普遍。

(1)症状:此病只发生在叶片上,产生圆形或椭圆形边缘清晰的斑点,斑点中央灰白色,密生黑色小点粒,为病菌子囊壳和分生孢子器。边缘褐色,最外层黑色。病斑有时可形成穿孔,为害严重时病斑可连成一片,形成不规则形,叶片易脱落。

(2)发病规律:病菌在落叶上越冬,翌年春天病斑上形成囊壳和子囊,成熟后靠风雨传播,侵染梨叶。随后在病斑上产生分生孢子器和分生孢子,由分生孢子再次侵染。因此雨水的多少与褐斑病有直接关系。雨水多,褐斑病发病重;树势弱发病也重。

(3)防治方法:①秋季彻底清除落叶,消灭越冬病源。②加强土肥水管理,增强树势,提高抗病能力。③药剂防治在 5～6 月份连续喷 2～3 次 1:(2～3):200 倍波尔多液防护。

4. 梨蚜

俗称腻虫,同翅目蚜虫科。

(1)生活习性及为害特点:蚜虫每年发生 20 代左右,以卵在梨树芽腋间越冬。翌年 3 月份梨芽萌动时开始孵化。孵化后集中在芽上危害,芽开绽后钻入芽内及花蕾缝隙内,展叶后爬到叶正面为害,受害叶片正面纵卷,并引起煤烟病,使果实发育不良。无翅蚜行孤雌生殖,胎生小蚜虫,繁殖速度快,4 月下旬陆续产生有翅蚜,逐渐迁飞到杂草上寄生。10 月份以后有翅蚜又迁回梨树繁殖为害。由性母蚜产生雌蚜,雌雄交配后产卵越冬。测报方法:3 月中旬选择 10～20 个蚜虫卵的枝条作标记,每天观察记载,当卵孵化率达到 80%以上时即发出防治预报。

(2)防治方法:①在梨花现蕾期至花序分离期喷 1 次 40%氧化乐果 2 000 倍液,或敌杀死 5 000 倍液。50%辟蚜雾粉剂 1 500 倍液。结合防治梨树大食心虫,除喷布氧化乐果和敌杀死外,还可选用速灭杀丁 4 000 倍液,均可收到良好效果。如花前没有及时防治或防治效果不好,可在花后立即补喷。②10 月下旬蚜虫迁回梨树产卵前进行药物防治。

5. 梨花网蝽

属半翅目网蝽科，梨花网蝽又名军配虫，是梨树的主要害虫之一(见图 3-8)。

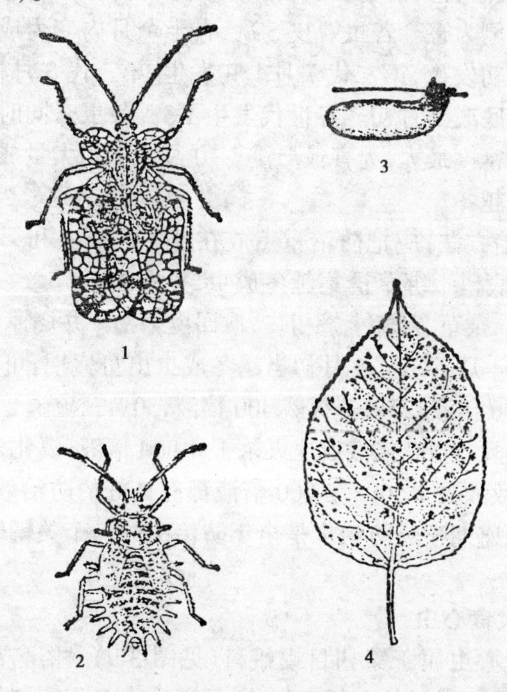

图 3-8　梨花网蝽

1. 成虫　2. 若虫　3. 卵　4. 叶背受害状

(1)为害特点：以成虫或幼虫在叶背面吸食汁液，造成叶片早期干枯脱落，甚至引起秋季开花。在我国华北、黄河故道地区、西北等地为害苹果、梨树相当严重。叶片被害轻时，叶片正面呈现苍白色褐绿斑点。严重时全叶苍白色，叶背面有大量褐色黏液和粪便，因此呈黄褐色的锈斑状。

(2)发生规律：黄河故道地区每年发生 4～5 代。以成虫在翘皮、枯草、落叶、树皮裂缝和土块缝隙中越冬。第二年梨树展叶时

(约4月上中旬)成虫开始活动,成虫体长3.5mm,体形扁平,黑褐色,翅上布满网状纹。常集中到叶背面取食和产卵。卵产在叶背组织里,上面附有黄褐色胶状物,卵期半个月。若虫孵出后,多集中在主脉两侧为害。若虫蜕皮5次,在半个月内变为成虫。第一代成虫6月初发生,第二代7月上旬发生,第三代8月初发生,第四代在8月底或9月初。各世代发生不齐,各虫态同时出现。全年9月上旬密度最大,为害最严重。10月中下旬大量成虫下树寻找适当处所越冬。

(3)防治方法:应把防治重点放在越冬代成虫和第一代若虫上。①9月底树干绑草诱集越冬成虫,集中烧毁。②冬季彻底清除果园落叶、杂草、刮除老翘树皮,取回诱杀物一并烧掉,以消灭越冬成虫。③4月下旬至5月初当越冬成虫出蛰盛期,可喷布50%杀螟松2 000倍液,25%速灭威400倍液,50%三硫磷2 000倍液,或选用敌杀死5 000倍液或速灭杀丁4 000倍液,氧化乐果2 000倍液,50%敌敌畏1 500~2 000倍液都有良好的防治效果。第一代若虫孵化盛期喷药防治也是全年防治中的一个关键时刻,不可延误。

6.梨大食心虫

梨大食心虫属于鳞翅目螟蛾科(见图3-9)。俗名吊死鬼,简称梨大,是我国梨树的主要害虫,主要以幼虫食害梨树嫩芽、花丛和果实,常造成严重减产。

(1)为害症状:被害芽鳞开裂,蛀孔外有很多虫粪。花序抽出后,幼虫在花丛基部为害,用丝将鳞片连住不脱落,当幼果长到拇指大时,幼虫转到果实上为害,一头幼虫可为害1~3个幼果,蛀入果心,蛀孔外堆有虫粪。幼虫化蛹前吐丝作羽化孔。并把果柄和果台缠住。幼果干枯吊在树上不落。7、8月份第一代幼虫为害的果,虫孔多在萼洼附近,虫孔周围腐烂变黑。成虫体长10~12mm,翅展24~26mm。

(2)发生规律:在各梨产区的发生代数不同。河南省每年发生2~3代。以初龄幼虫在芽内结灰白色小茧越冬。3月上旬花芽露绿时开始出蛰,至5月中旬结束。幼虫出蛰后转害花芽,先在花芽基部吐丝结网,遮掩虫体,随即蛀入芽里。一头幼虫能为害1~3个芽,4~5月份转到幼果上为害,一头幼虫为害1~3个果后,在

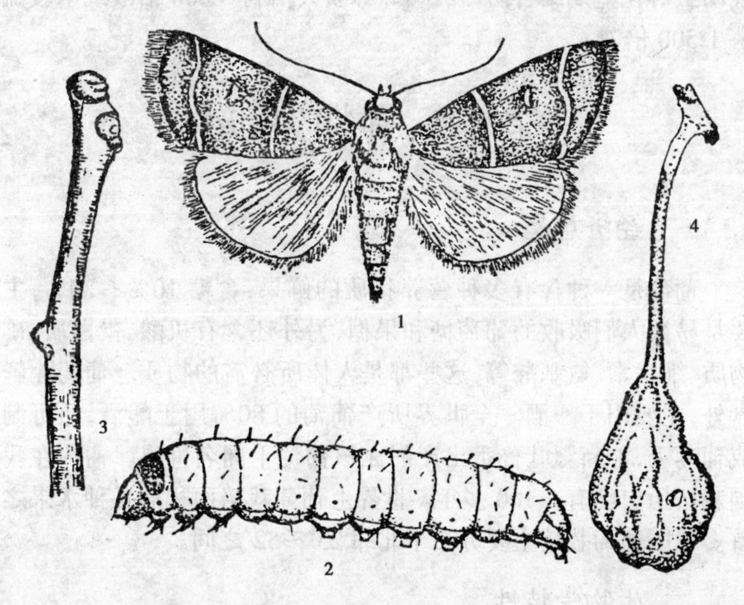

图3-9　梨大食心虫

1.成虫　2.幼虫　3.被害枝　4.被害果

果枝及果柄上吐丝将果孔封闭大半,即于果中化蛹,这种被害果也逐渐变黑干缩,但不脱落,故称作“吊死鬼”。5月中旬羽化。产卵与果实萼洼处。卵散产,一头雌虫可产200粒左右。卵期5~7天,孵化出的幼虫蛀入果内为害,为害盛期在7月上、中旬。7月下旬出现成虫,产卵与芽旁,孵化出的幼虫钻入芽内为害,随后作茧越冬。梨大食心虫有几种天敌,其中以黄眶离缘姬蜂较多。影响越冬代幼虫寄生率达20%~30%。

（3）防治方法：①结合冬季修剪，剪去虫芽，花开后检查受害花簇并及时摘除。在5月下旬成虫羽化以前摘除、拾净虫果，防治效果明显。②在越冬幼虫转芽转果期，喷50%对硫磷1 500倍液，90%敌百虫800倍液或混合使用。③第二次在6月中下旬，第一代幼虫孵化盛期结合防治红蜘蛛等喷灭扫利3 000倍液或水胺硫磷1 500倍液。

第四节　葡萄的栽培

一、经济意义

葡萄是一种含有多种营养物质的鲜果，含糖10%～30%，主要是易被人们吸收的葡萄糖和果糖，另外还含有机酸、蛋白质、矿物质、维生素、氨基酸等，这些都是人体所必需的物质。葡萄除鲜食外，主要用于酿酒。全世界所产葡萄的80%用于酿酒，还可制成葡萄干，如新疆吐鲁番出产的无核葡萄干闻名世界。葡萄在我国栽培历史已有2 100多年。世界上葡萄栽培面积居各种水果之首。我国葡萄栽培主要分布于北纬25°～52°之间。

二、生物学特性

1.葡萄植株的器官及特性

（1）根：葡萄的根系发达，为肉质根，能贮藏大量的营养物质。葡萄是深根性果树，在干旱情况下，根系深达60～180cm。

（2）茎：葡萄的茎通称为枝蔓。包括主干、主蔓、侧蔓、结果母蔓和新梢。

（3）芽：葡萄新梢的每一叶腋内有两种芽，即冬芽和夏芽。冬芽外被鳞片，芽内正中有一主芽。带花序原基的芽称为花芽，只有卷须原基的芽称为叶芽。花芽和叶芽从外部形态不易区别，花芽为混合芽。夏芽即自然萌发成为副梢，多年生枝蔓上还有潜伏芽。

(4)叶：叶呈掌状，多数为5裂，也有全缘的。葡萄叶片增长快，单一叶片从展叶至叶片不再扩大所需的时间约20～30天。

(5)花序、花和卷须：它们是同一起源的器官，都是茎的变态。而花序是在卷须原基的基础上发育而来的。葡萄花有3种类型：两性花、雌能花与雄能花。卷须的主要作用是缠绕他物。

(6)果穗、浆果和种子：葡萄开花后，子房变成浆果，花序变成果穗。浆果由果梗、果蒂、维管束、果皮、果肉和种子组成。每浆果中含种子1～2粒，以2粒者居多。

2. 物候期

进入结果期的葡萄植株生长具有年周期变化。

(1)树液流动期(伤流期)：从春天树液流动开始到萌芽为止。当枝蔓的伤口分泌透明液体时，表明根系已开始活动，吸收水分和无机盐类。伤流的多少与温度及品种有关。每升伤流中含干物质1～2g，其中2/3左右是糖和氮的化合物，其余是矿物质。因此北方应避免春季修剪及出土上架时的机械损伤。

(2)萌芽和新梢生长期：当温度最适宜时，新梢每昼夜最快可延长5～7cm，到开花前后，新梢生长达全年总生长量的40%左右。这一时期若新梢生长健壮，则花器和花序分化完善，是当年结果的良好基础。

(3)开花期：从开始开花到终花为止。开花期最适宜温度为25～30℃，低于14℃时将影响开花。花期一般6～7天。引起落花、落果的原因主要有生长前期树体贮藏营养不足、花器发育不良、树势过旺等。

(4)浆果生长期：从落花期到浆果着色前为止，共分前、中、后三期。为满足浆果生长及花芽分化所需要的养分，此期应适当控制枝蔓生长，及时摘心和绑梢，改善通风透光条件。同时追施磷钾肥。

(5)花芽分化期:在营养条件良好的情况下,新梢上的冬芽下部分散形成花芽。花芽分化始于开花前后(5月中旬至6月中旬),主要分化期在6~7月份。进入休眠期后,整个花序的形态上不再出现明显的变化。一直到次年春季芽萌动后,花序上的每个花,开始依次分化出花萼、花冠、雄蕊和雌蕊。

(6)浆果成熟期:从浆果着色到完全成熟为止。这一时期的前期,浆果继续增大,随后停止生长,逐渐变软、有弹性且有光泽。这一时期注意排水防涝,过于密闭的架面应适当摘心、打叶,以提高浆果质量。

(7)新梢成熟和落叶期:从浆果成熟前后到落叶为止。这一时期应促进枝芽成熟充实,因此,在新梢生长后期应控制灌水。防止过多用氮肥。

(8)休眠期:从落叶到次年春天树液流动开始前为止。

3. 对环境条件的要求

(1)温度:葡萄为喜温果树。当昼夜温度为10℃以上时,芽开始萌发。开花期适温是20~25℃,新梢生长和花芽分化期最适温度为25~30℃,低于10℃不能正常生长。

(2)水分:葡萄的根系发达,吸水力强,具有极强的抗旱性。一般认为年降雨量在600~800mm的地区最适宜葡萄的栽培。降雨量少时,若有灌溉条件亦可。

(3)光照:葡萄对光照的要求比较高,是喜光果树。光照对花芽分化、提高果实品质作用很大。在光照不足的条件下,新梢生长细弱,落花、落果严重,糖分低、品质差。

(4)土壤:葡萄喜土质肥沃的沙壤土。但它的适应性很强,能够在多种土壤中生长。在pH值为5~8的土壤中能够正常生长,而在pH值为6~7.5的范围内表现最好。葡萄生长要求适宜的含水量,一般为土壤最大持水量的60%~70%。

三、育苗与建园

1. 育苗

葡萄苗繁殖方法很多,但最常用的是扦插繁殖。现介绍几种嫁接方法。

(1)硬枝劈接法:为提高葡萄根系的抗性,在春季萌芽前15~20天,用劈接方法,把优良品种的接穗嫁接在抗寒砧木的一年生枝条上,接着进行加温促进愈合,然后进行扦插,使其生根成苗。

(2)绿枝劈接法:选择砧木上发出的半木质化的新梢,剪去上端,留下10~15cm长作砧木,剪口离最上芽4~5cm。砧木上的叶片留下,叶腋内副梢全部去净,冬芽也抠去。接穗要选用优良品种的生长健壮的半木质化新梢或副梢剪下后,去掉叶片,只留下0.8~1cm叶柄,接穗随采随用为好。劈接时,节间长的一节作为一个接穗,节间短的可两节作一个接穗。接穗顶芽以上留2.5cm,接穗芽以下留3~5cm。接穗用保险刀片削成楔形,采用劈接法(与硬枝劈接法相同),接后用塑料条把接口由上而下严密包扎好,仅露出接穗上的叶柄和叶腋内的小副梢和冬芽。嫁接后10天进行检查,当接穗梢上的芽长出3cm时,套塑料袋的要剪破塑料袋的顶端,接后约25天,可解除塑料袋。嫁接后还要注意随时剪除砧木上的萌蘖。并对接穗萌发的新梢及时设支架引缚。

2. 建园

在树行内每隔100m留出一交通道以便行间作业。在平原种植采用篱架栽培时,宜用南北行。栽前应对土壤进行深翻熟化和改良,为根系生长创造条件。一般采用带状栽植沟,深0.8~1m,宽1~1.5m。栽植密度,篱架株行距为(1~2)m×(2.5~3)m,小棚架株行距为(1~2)m×(4~6)m。

四、土肥水管理

1. 土壤耕作

大部分果园仍采用清耕法。一年内根据杂草发生和土壤板结情况进行几次中耕松土除草工作。幼树园采用间作方式,一般套种甘薯和花生。中耕除草有利于调节土温保墒,防止土壤板结和改善土壤表层的通气状况,还要进行人工除草和化学除草。

2. 施肥

(1)不同营养元素对葡萄生长结果的影响:氮对葡萄的生长和结果有极明显的影响作用;磷对促进花芽分化开花受精和坐果有良好的作用,充足的磷可以加强吸收根的形成与生长;钾可以促进浆果成熟,提高含糖量,降低含酸量。

(2)施肥量:据试验,葡萄亩产 100kg 果实,植株约从土壤中吸取纯氮 0.3~0.55kg、磷 0.13~0.28kg、钾 0.28~0.6kg,但由于肥料在土壤中流失或被土壤固定,一部分肥料不能被植物吸收利用,因此,实际施肥量应大于这个数字。按照我国丰产园的经验,大约亩产 100kg 果实,在一年中需施入纯氮 0.5~1.0kg、磷 0.2~1.0kg、钾 1.0~1.5kg。氮、磷、钾三要素的比例为 1.0∶(0.5~1.0)∶(1.0~1.5)较合适。民权一带的果农认为,每株产 50kg 葡萄,施土肥 100kg、草木灰 5kg、人粪尿 50kg。

(3)施肥时期:施肥时期从展叶到开花需大量氮肥,从新梢生长到浆果膨大需磷量最大,钾在浆果膨大期需量最大。基肥应在采收以后施入为好。还要根据葡萄的物候期施追肥。

3. 灌水和排水

根据物候期的变化和需水规律进行灌水。在雨季还要注意排水。

五、架式、整形和修剪

1. 架式

(1)篱架也叫立架。架面与地面垂直或略倾斜,葡萄枝叶分布其上,就像一道篱笆,故称篱架。主要有 3 种类型,即单壁篱架、双壁篱架和宽顶篱架。单壁篱架高度一般 1～2m,支柱上拉 1～4 道铅丝。双壁篱架与单壁篱架相似,不同的是多一道篱壁,两壁间距离,下宽 0.5～0.6m,上宽 1～1.2m,架高 1.4～1.8m。葡萄栽在两壁中间,枝蔓分别缚在两边篱壁的铅丝上。顶宽单篱壁,在单篱壁架的顶部架设一根横梁,长度约 0.6～1m,两端各拉一道铅丝。

(2)棚架:凡是架长或行距 6m 以上者称为大棚架,大棚架分水平大棚架和倾斜大棚架。小棚架:架长或行距在 6m 以下者称作小棚架。小棚架为行距(即架长)5～6m 为宜,架后部高 0.5～1m,架前部高 1.8～2.2m,株距 1～2m。

(3)棚篱架:是棚架与篱架的一种综合型式,一架上兼有棚架、篱架两种架面。两者都能容纳枝蔓,故称棚篱架。架长 4～6m,架后部高 1.5～1.6m,架口高 2～2.2m。优点是充分利用空间达到立体结构。

2. 整形

其目的是为了让葡萄枝蔓合理分布架面,充分利用空间,获得早期丰产并使连年优质高产。

(1)篱架整枝形式主要分为多主蔓自然扇形和多主蔓规则扇形两大类。

①多主蔓自然扇形(如图 3-10)。这种树形在我国葡萄产区普遍采用,无主干者称为无主蔓自然扇形。其结构特点是,无主干,主蔓从地面分枝。单篱架株距 2m。一般每株留 3～5 个主蔓。主蔓上分生侧蔓,在主侧蔓上着生结果母枝,主蔓在架面的分布每隔 50～60cm 1 个,结果母枝间隔 15～20cm 左右 1 个。用长、中、

短梢结合修剪。要求保持一定的从属关系。双壁篱架主蔓数可以加倍。整形方法:在定植当年选留 2～4 个新梢,冬剪时直径 0.8～1cm 的枝条剪留 8～9 个芽,作结果母枝。第 2 年,2m 株距的植株选留 3～5 个主蔓,主蔓间保持 50～60cm,单篱架 2 年完成整形。双壁篱架第二年选留 4～5 个主蔓,第三年选留主蔓 8～10 个,3 年完成整形。这种方式整形的优点是:主蔓数多,容易早形

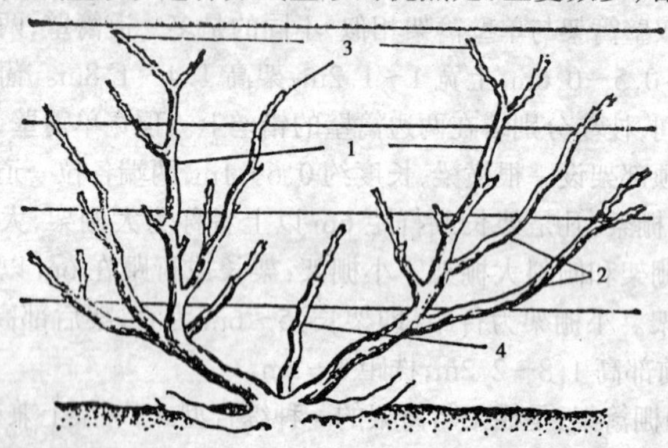

图 3-10　篱架无主干多主蔓自然扇形

1. 主蔓　2. 侧蔓　3. 延长枝　4. 更新枝

成,结果面积大,易获高产,修剪灵活;易选择良好的枝条作结果母枝。主蔓多可轮流更新,是一种较丰产的整枝形式。缺点是修剪技术要求较高。

②多主蔓规则扇形(如图 3-11)。这种树形仍然是无主干多主蔓,但不留侧蔓,在主蔓上直接留若干个小枝组。如单壁篱架株距 2m 者;每株留 4 个主蔓,每个主蔓上留 3～4 个枝组。培养枝组时采用短梢修剪,枝组修剪时采用双枝更新修剪法。在枝组上,结果母枝采用中、长梢修剪,预备枝采用短梢修剪。优点:对枝组采用双枝更新法能防止结果部位上移,修剪方法易于掌握。比较省工,由于容易统一修剪规格,也就便于统一修剪量,为计划生产稳定产量提供了方便途径。缺点是主蔓长势相近,主蔓上直接着

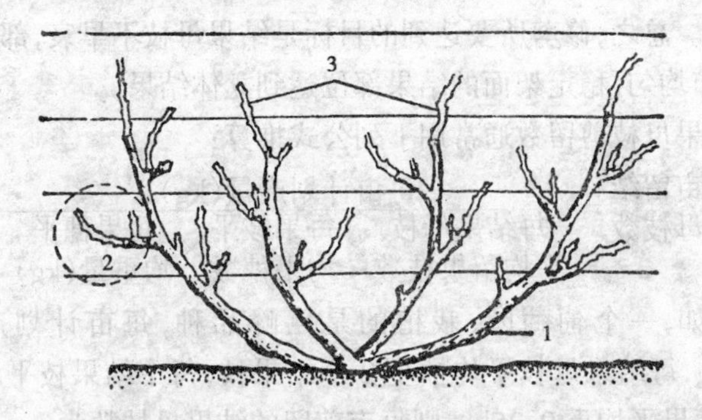

图 3-11　篱架无主干多主蔓规则扇形

1. 主蔓　2. 枝组　3. 延长枝

生枝组，更新时容易影响产量。

(2)棚架的整枝形式，可分为多主蔓自然扇形和龙干形整枝两大类。

①多主蔓自然扇形：无主干，自地面发出 3～5 个主蔓，主蔓距离 50～60cm 左右，主蔓上分生侧蔓，在主侧蔓上着生结果母枝，呈现扇形分布在架面上。

②龙干形：其特点是植株自地面发出一条、两条或多条主蔓，直接引缚上架一直延伸到架面顶端。主蔓上不分生侧蔓，而在主蔓上每隔 20～25cm 左右留固定的枝组。每年在枝组上留 1～2 个短梢结果母枝。留单主蔓，称为独龙干；留双主蔓称为双龙干，两主蔓相隔 40～50cm。枝组上的枝条同样采用 1～2 个芽短梢修剪。

3. 修剪

(1)冬季修剪：一般在霜降后开始，在 10 天内完成。冬剪的方法：把成熟的一年生枝剪短。剪留 1～4 节的称为短梢修剪，剪留 5～7 节的，称为中梢修剪，剪留 8～12 节的，称为长梢修剪。往往综合使用这几种方法。

结果母枝剪留长度，根据品种特性、整枝形式和栽培管理条件而决定。总之,修剪所要达到的目标是结果母枝不早衰,部位不外移,分布均匀,稳定架面的结果部位达到立体结果。

结果母枝剪留数通常用下列公式推算:

$$\text{每亩留结果母枝数}=\frac{\text{每亩计划产量(kg)}}{\text{每结果母枝平均留果枝数}\times\text{每果枝平均果穗数}\times\text{每果穗平均重量(kg)}}$$

例如,一个葡萄园,栽植的是巨峰品种,每亩计划产量为 2 000kg,每结果母枝平均抽生 2 个结果枝,每个结果枝平均 2 穗果,每穗果平均重 0.25kg,则每亩剪留的结果母枝数为:

$$\text{每亩结果母枝数}=\frac{2\ 000}{2\times2\times0.25}=2\ 000(\text{个})$$

如每亩栽植 100 株,则冬剪时平均每株留结果母枝 20 个。

(2)夏季修剪:为解决通风透光提高品质的问题,必须进行夏季修剪。夏剪的主要内容包括抹芽、除梢、结果枝摘心、副梢处理、疏花序、掐序尖、剪梢等措施。在萌芽后新梢长 10cm 以下时抹去嫩梢称为抹芽,10cm 以上时称为除梢(疏枝)。一般只留一个主芽萌发的新梢,应将预备芽发出的嫩梢及时抹去。但在新梢负载量不足时,可适当留双芽枝。新梢摘心,在开花前或初花期,对落花、落果严重的品种如巨峰等,将结果枝摘心能暂时抑制结果枝的延长生长,使叶片制造的营养集中于花序,这是一项提高坐果率的重要措施。还要进行处理副梢、疏花序和掐序尖。对鲜食大粒品种落花、落果严重和小果严重、果穗疏散的品种如巨峰、玫瑰香等,要疏除多余的花序。掐花序尖,在开花前一周左右将花序尖端用手掐去全长的 1/4~1/5,目的是为了提高坐果率。剪梢,将新梢顶端过长部分剪去 30cm 以上称为剪梢,在 7~8 月间进行,目的是为了改善光照和通风。除卷须及新梢引缚,当新梢长到 40cm 时即可引缚于架面上。

(3)葡萄修剪应遵守的规则:

①应选留生长健壮、成熟良好的一年生枝作为结果母枝。枝条粗的可以适当长留，弱的应留短。

②剪截一年生枝时，剪口宜高出枝条节部3~4cm。剪口也可在节部破芽剪截。

③在疏除一年生枝及老枝时，应从基部彻底去掉，勿留短桩。

④剪口要平整、光滑。

⑤去除老蔓时锯口要削平，以利愈合。

⑥修剪长短梢结果枝组时，对已经结果的长梢结果母枝，原则上应全部剪除，而将位于其下方的替换短枝上长出的2个一年生枝剪留成新的长短梢结果枝组。

⑦替换短枝应有生长健壮的一年生枝短剪后形成。

⑧对肥水条件好，生长势强的植株，也可适当剪留加强枝组，即枝组中留2个长梢结果母枝和1个替换短枝。

六、品种介绍

1. 莎巴珍珠

莎巴珍珠属欧亚种，原产匈牙利。为极早熟的优良品种。平均果穗重250g。坐果率高、产量高、较抗寒。

2. 龙眼

龙眼别名红葡萄，欧亚种，原产我国。果穗平均重600g，最大果穗重1 500g，树势强，适于棚架栽培，坐果率高、丰产、抗旱力强。

3. 京早晶

京早晶属欧亚种，中科院北京植物园育成。果穗圆锥形，平均单穗重350g，果粒黄色，无核、浓甜。在河南7月下旬收获。

4. 红玫瑰

红玫瑰属欧亚种，原产保加利亚，果穗圆锥形，平均穗重320~400g，成熟时呈现粉红色，果实成熟期北京在9月上中旬。树势强，含糖18%~19.5%、含酸量0.65%~0.7%。适于篱架和小棚架栽培。丰产、适应性强。

5. 玫瑰香

玫瑰香属欧亚种，在我国栽培已有 1 000 多年历史。果穗中等大，平均穗重 150～350g。果粒中等大，椭圆形，紫红色。含糖量 17%，含酸量0.6%～0.7%，品质优良，是世界上著名的鲜食品种。如果管理粗放，肥水不足，易引起落花、落果，且果实品质差。抗病力较弱。降雨较多的南方地区不适宜栽植。

6. 巨峰

巨峰属欧美杂交种。原产日本，为四倍体。为中熟大粒优良品种。果穗圆锥形，平均穗重 400g，最大的可达到 1 000g，成熟时呈现紫红色或黑紫色。最大单粒可达 15g。含糖量 15%～17%，含酸量 0.71%。品质中上，8 月中旬成熟。树势强，丰产、耐贮运。抗寒、抗病能力较强。

7. 红提

红提又名红地球，属欧亚种，原产美国。是美国加州大学教授于 1982 年培育并发表的专利品种。1987 年引入我国，一年生枝浅褐色，两性花。果穗长圆锥形，平均穗重 600～800g，最大的 2 500g。品质极佳，耐拉力强，不脱粒，极耐贮藏运输。生长势强，萌发率高，结果枝率 70%，极丰产，栽后 2 年结果，3 年亩产可达到1 500kg。在青岛地区 10 月上旬成熟。从萌芽到果实成熟 160 天。

8. 黑大粒

黑大粒属欧亚种，原产美国，商品名黑提子，1992 年引入我国山东青岛，现在河北、辽宁、河南、陕西、新疆、甘肃、江苏等省(自治区)均有栽培。幼叶浅紫红色，一年生枝浅褐色，节间长，两性花。果穗大，长圆锥形，平均穗重 500～700g，可溶性固形物含量 17%，品质极佳，极耐贮运。长势强，极丰产。抗病性弱，适于干旱少雨地区栽培。在青岛 4 月中旬萌芽，5 月下旬开花，9 月中、下旬浆果成熟。是著名的晚熟品种。

七、病虫害防治

1. 黑痘病

黑痘病是我国分布最广，为害最严重的葡萄病害。主要侵染葡萄植株的幼嫩绿色部分，如幼果、果梗、嫩梢等。

(1)症状：叶片感病产生小圆斑，初为黄色小点，后则中央变为灰色，外围以紫褐色晕圈并可穿孔。幼蔓、卷须、叶柄及叶梗染病，病部呈现暗色不规则形凹斑。病梢和病须常因环切而枯死。绿色穗粒感病呈现褐色圆斑，以后中部变成灰白色，稍凹陷，边缘红色或紫色，似“鸟眼”状，病斑直径可达3～8mm，后期病斑硬化或龟裂，丧失经济价值。病原菌属半知菌类。菌丝在病蔓的溃疡中越冬，生活力强，在病组织中可存活3～5年。翌年春季(4～5月份)产生分生孢子，经风雨冲溅传播到新梢和嫩叶上入侵，远程传播则靠苗木或插条。

(2)防治方法：①选育抗病品种。②秋季葡萄落叶后清扫果园，把地面的落叶、病穗扫净烧毁。冬剪时把病梢剪掉，并清理出果园。③喷药保护，葡萄芽鳞膨大后，喷射0.5%～1%五氯酚钠加波美1度～5度石硫合剂或10%硫铵溶液铲除病菌，病重的果园或品种均需喷铲除剂。葡萄生长期，在花前、花后各喷一次1:0.7:(200～240)式波尔多液，还可试用0.2%百菌清或50%多菌灵1 000倍液。

2. 葡萄炭疽病

葡萄炭疽病又名晚腐病，是葡萄主要病害之一。

(1)症状：该病主要为害果穗，在成熟期开始出现病状。开始发病时，出现褐色病斑点，后逐渐扩大，稍凹陷，表面长出呈现轮纹状排列的小黑点，这就是病原菌分生孢子盘。在空气湿度大时，黑色小点上分泌一层粉红色黏液，被害浆果以后溃烂，容易脱落。病菌在春天就可侵染植株的所有绿色组织。病菌主要以菌丝在一年生枝条的皮层中越冬。其分生孢子不能越冬。病菌发育温度为8～37℃,分生孢子的最适温度为28～32℃。葡萄生长的年周期里,发病与雨水有关。下一场雨,几天以后即发生大批炭疽病。

(2)防治方法:喷药保护是防治此病的主要措施。采用50%退菌特可湿性粉剂800～1 000倍液,从幼果期开始喷药,大约15天1次,连喷3～4次可以有效地控制此病的发生。发芽前可喷3度(波美度)石硫合剂加0.3%洗衣粉。生长季里,观察到病菌分生孢子后,可喷75%百菌清500～800倍液。在采收前半个月应停止用药以保安全。

3. 葡萄根瘤蚜

葡萄根瘤蚜(见图3-12)是一种毁灭性病害,1892年由法国首先传入我国山东省烟台市,是国内及国际的重要检疫对象之一。

(1)症状:此虫只为害葡萄。根部须根被害后,形成菱角形根瘤;侧根、主根被害后,形成肿瘤,使被害部分变化腐烂,严重时造成整株死亡。叶片被害后,在背面形成叶瘿,使叶萎缩,影响植株发育。成虫体长1.2～1.5mm,卵圆形,鳞毛黄色或黄褐色。

(2)防治措施:加强植物检疫,注意土壤处理是防治此虫的重要措施。在根瘤蚜发生区严禁苗木、插条外运,特殊情况下必须经过检疫,将苗木、插条进行药剂处理后方可外运。对少数孤立的已发生根瘤蚜的果园,要彻底挖掉烧毁。此园不能再定植葡萄。也可用二硫化碳灌注,用药量为36～72g/m^2。土壤含水量30%,15cm深处土温12～18℃,除害较为合适,温度过低效果差。

4. 葡萄二点叶蝉

葡萄二点叶蝉又名葡萄二星叶蝉,俗名小蠓虫(见图3-13)。

(1)为害特点:以成虫、若虫在叶片上吸食为害,被害叶片先出现失绿小白点,随着为害的加剧,小白点连成白斑,受害严重时叶色苍白,出现早期落叶现象,成虫体长3～4mm,红褐色及黄白色。此虫在河南一年发生3代,以成虫在园地附近的杂草、落叶下、土

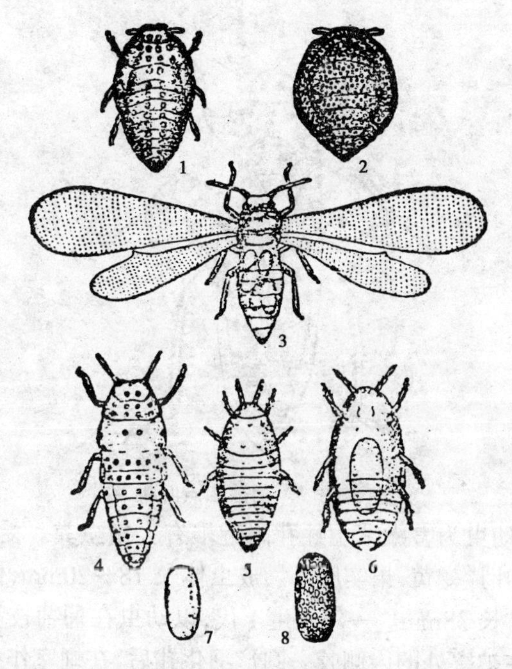

图 3-12　葡萄根瘤蚜

1. 叶瘿型成虫　2. 根瘤型成虫　3. 有翅型雌虫　4. 有翅型若虫
5. 有性型雄虫　6. 有性型雌虫　7. 有性卵　8. 无性卵

石缝中越冬。第二年 4 月初，越冬成虫开始为害，先在叶上吸食，第一代 6 月上旬羽化为成虫，第三代若虫在 9～10 月间发生最多，羽化为成虫后四散过冬。

(2)防治方法：①彻底清除落叶、杂草，消灭越冬成虫。生长期及时摘心、绑蔓、去副梢，使葡萄园通风透光，减轻为害。②在第一代若虫发生初期，及时喷布 90%敌百虫 1 500 倍液，或喷 90%敌敌畏乳油 800 倍液，或 50%久效磷乳油 2 000 倍液，或 40%氧化乐果 1 500 倍液。

5. 葡萄透翅蛾

(1)为害特点及生活习性：葡萄透翅蛾(见图 3-14)是葡萄枝

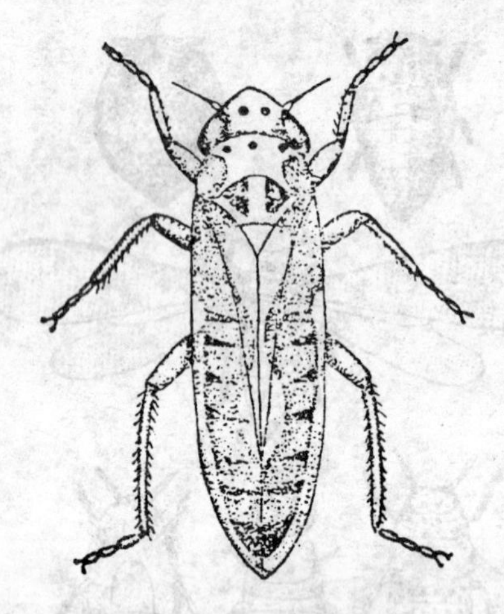

图 3-13　葡萄二点叶蝉

蔓害虫,以幼虫为害嫩茎。蛀孔附近堆有大量虫粪。受害部分增大成瘤状,叶片变黄,果实脱落。成虫体长 18～20mm,体蓝黑色。老熟幼虫体长 38mm。一年发生 1 代,以幼虫在葡萄枝蔓内越冬。越冬幼虫在被害处的内侧咬一圆形羽化孔后,在蛹室作茧化蛹,蛹期 5～12 天。6 月上旬羽化为成虫,经 1～2 天即产卵,将卵产在芽间或新梢上。每个雌虫可产 40～50 粒卵。卵期 10 天,幼虫孵出后。多由叶柄蛀入新梢内为害,当年生嫩茎蛀空后,转害其他枝条或粗茎。老熟幼虫在 10 月份以后作蛹室过冬。

(2)防治方法:①在冬季修剪时,剪除被害枝蔓,集中烧毁。5 月份以后在生长季继续检查枝蔓,一旦发现叶片枯萎,有虫孔或虫粪排出,剪除被害部,杀死枝内的幼虫。②在粗茎上发现为害时,可用小刀将蛀孔削去,向内注射 50%敌敌畏 500～800 倍液,然后把虫孔堵塞。③在成虫开始产卵后一星期,喷布 50%的杀螟松乳剂 1 000 倍液。

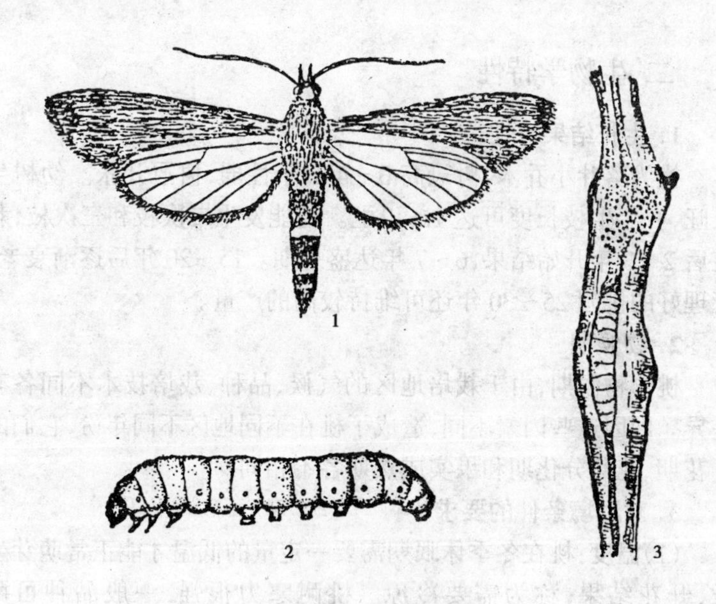

图 3-14　葡萄透翅蛾

1. 成虫　2. 幼虫　3. 为害状

第五节　桃的栽培

一、经济意义

桃树是我国果树的主栽树种之一。果实营养丰富、味道甜美，果面色泽鲜艳。除鲜食外，还可以加工成各种桃脯、桃汁、桃酱等。桃仁中含 45%油，可作为工业用油。根、叶、花、仁可入药，具有止咳、润肺、活血、通络、杀虫之功效。核壳可制作活性炭等。桃起源于我国黄河上游海拔 1 200～2 000m的西北高原地带，是我国最古老的果树之一。管理好的桃园能够保持亩产 2 400～2 800kg的水平。

二、生物学特性

1. 生长结果习性

桃为落叶小乔木,树冠高 3～4m,干性弱,树冠开张。幼树生长旺,一年生枝长度可达 1m 以上。还能发生二次枝和三次枝,栽植后 2～3 年开始结果,6～7 年达盛果期。15～20 年后逐渐衰老。管理好的桃园 25～30 年还可维持较高的产量。

2. 物候期

桃的物候期,由于栽培地区的气候、品种、栽培技术不同各有差异。即因这些因素不同,造成了桃在不同地区不同年份,它们的开花期、花芽分化期和果实成熟期各不相同。

3. 对环境条件的要求

(1)温度:桃在冬季休眠期需要一定量的低温才能正常萌芽生长,开花结果,称为需要冷凉。桃耐寒力很强,一般品种可耐 -25～-22℃的低温。花蕾期受冻温度为 -1.7～6.6℃,开花期受冻温度为 -2～-1℃,幼果期受冻温度为 -1.1℃。果实成熟期需要一定的高温。桃生长期月平均温度在 25℃左右时,产量高、品质优良。根据专家观察实验,桃树一般品种在 7℃以下低温条件经 800～1 200 小时才能完成休眠这个物候期。只有完成冬眠才能在翌年春发芽生长、开花结果。

(2)水分:桃耐干旱,怕水淹。桃适宜的水分条件是土壤田间持水量 60%～80%,如果水分过低叶片会萎蔫。桃园中短期积水就会黄叶、落叶甚至死亡,因此桃园不应建在低洼易涝地。

(3)光照:桃树原产地海拔高,光照强,形成了喜光的特性。当光照不足时,树体的同化产物明显减少,根系发育差,花芽不饱满,小枝易枯死。栽植上要合理密植,修剪要造成通风透光的条件,以达到优质高产的目标。

(4)土壤:适宜栽植在土质疏松、排水良好的沙壤土或沙土地上。pH值在4.5～7.5范围内均能生长良好,在碱性土壤中易得黄叶病。土壤含盐量超过0.28%就生长不良甚至枯死。重茬桃园常常表现出生长势弱,产量低,病害严重或生长几年后就死亡。

三、土肥水管理

1.土壤管理

桃树根系呼吸作用强,要有良好的排水条件才能提高土壤的通透性。

(1)深翻熟化:在土壤黏重的桃园,为了改良土壤,在行间进行深翻,深度要达到60cm,并结合施入有机肥料。在砂石地桃园,栽后在树冠外缘挖深宽各60cm的环状沟,进行掏砂石换土。结合深翻施有机肥料,逐步扩大树冠换土范围。深翻对连年丰产起着良好的作用。

(2)秋耕:在洛叶前后结合施有机肥进行,深约20～30cm。靠近树干周围宜浅,约10cm,由内向外逐步加深。

(3)中耕除草:中耕常与灌水相结合,每次灌水后进行中耕,早春灌水后中耕宜深约8～10cm,以利保墒。采收后全园中耕除草。

(4)间作:桃园一般间作豆类、瓜类、花生、薯类作物。也可以种绿肥,以苜蓿、毛叶苕子为好。

2.施肥

(1)需肥特点:对三要素的需要以氮、钾为主,对磷的需要量少。据叶分析法测定,产量较高的果园,桃叶中氮、磷、钾的适宜含量(干物质百分率)分别为2.67%～3.36%、0.15%～0.30%和2.14%～3.0%。桃树新梢生长量大,对氮素较为敏感,若氮素过多,引起徒长使结果期推迟。氮素不足时,生长量小,影响花芽分化。果个小、着色差、品质低,枝与芽的抗寒力下降。桃需磷量比氮、钾要少些,但对于传粉受精、促进花芽分化有很重要的作用。钾对果实生长最重要。钾充足时果个大,含糖量高,风味浓,色泽艳丽。缺钾时最先反应到果实大小上。轻度缺钾会造成果小、畸形、早熟。严重缺钾时，在夏季中期和以后，叶片卷缩而成灰绿色，以后叶片上还会发生一些草黄色的致死斑点，有明显的棕色和紫红色边缘，最后枯萎脱落。微量元素的应用，沙地桃园易缺硼，缺硼会引起新梢枯顶，幼叶小而扭曲，枝干流胶，冬季易死亡。可在萌芽前、花前或花期喷 0.1%～0.5%硼砂或硼酸，叶片含硼低于 0.002%即为缺硼。当桃树缺锌时会引起小叶病，叶片中含锌在 0.001 5%以下即表现为缺锌症。可于萌芽前喷 4%～5%硫酸锌。

(2)施肥量：应少施氮肥，增施磷、钾肥，以利充实枝条和促进花芽分化，提早结果和防止抽条。具体施肥量，据实验，桃对氮、磷、钾的吸收比例为 10:(2～4):(6～16)。北京高产桃园亩产 2 500kg，具体施肥量(见表 3-3)是每产 50kg 果，施基肥 100～150kg，追纯氮 0.35～0.40kg，磷 0.25～0.3kg，钾 0.50kg。

(3)施肥时期和方法：基肥秋施为好，落叶后采用放射沟或条沟施为宜。追肥全年进行 2～3 次，以速效氮肥为主，配合磷、钾肥。萌芽前、开花后、硬核期、果实膨大期及采收后都要进行追肥。方法有条沟施肥、环状沟施肥和穴施等。还要根据气候和降雨情况，适时灌水和排水。

四、整形修剪

1. 主要树形

(1)自然开心形(见图 3-15)：主干上三主枝错落(或邻近)，按照 30°～45°开张角度延伸，每个主枝上分生 2～3 个侧枝，其开张角度为 60°～70°，在主侧枝上培养大、中、小型结果枝组。该树形主枝少、侧枝强，骨干枝之间距离大，光照好，枝组寿命长，修剪量轻，结果面积大，丰产。

(2)三主枝六头自然开心形(见图 3-16)：在主干顶端分生 3 个邻接或邻近的一级主枝，在一级主枝顶端按二叉式分枝方式分生

6个二级主枝，以后不再分头。全树共有6个主枝头，主枝基角40°～45°，腰角60°～70°，梢角40°～45°。树形基本完成时，主枝头

表3-3　桃园施肥举例

果园	施肥制度	注
北京门头沟村果树队	1.基肥:圈肥按每50kg果100～150kg 2.追肥及补肥:无机肥按每50kg果用纯氮0.35～0.40kg,磷0.25～0.30kg,钾0.50kg (1)萌芽前2～3周施入,占总施肥量的1/3,以氮为主 (2)5月下旬至6月上旬硬核前施氮、磷、钾,占总量的1/3多 (3)采收后补肥以氮为主,占总量的1/3弱 (4)弱树于花后追氮,中、晚熟品种于6月下旬至7月上旬追氮	平地,株行距为6m×6m,连年亩产2 500kg左右
肥城	1.基肥:9～11月份施圈肥100～200kg/株 2.追肥:7月上旬施豆饼2.5～5.0kg/株,或人粪尿50kg/株	株行距为4m×6m,大面积亩产1 500～2 000kg
镇江黄山园艺场	1.基肥:施饼肥5kg/株或猪粪60kg/株,磷矿粉5kg/株 2.追肥: (1)4月上、中旬,施硝酸铵1kg/株,根外追肥施0.5%尿素 (2)5月上、中旬,施尿素0.25kg/株 (3)6月上、中旬施尿素0.25kg/株 (4)补肥,8月中、下旬,施尿素0.25kg/株	12年生,亩产2 350kg

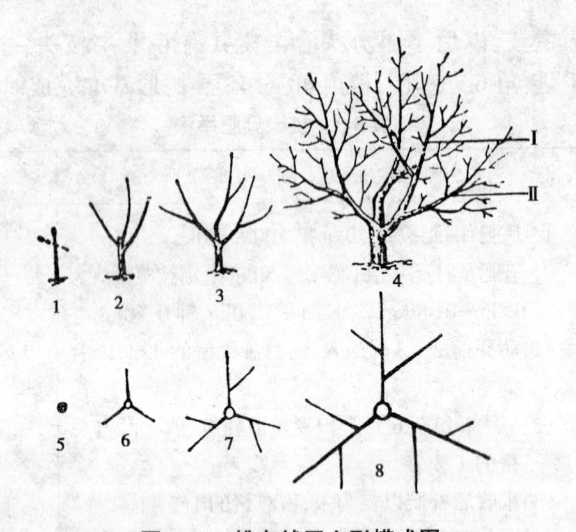

图 3-15　桃自然开心形模式图

Ⅰ. 主枝　　Ⅱ. 侧枝

1,2,3. 第一至第三年整形　4. 完成基本整形侧视图

5,6,7,8. 俯视图

剪口间距离达到 100cm 左右。在主侧枝上培养大、中、小型结果枝组。这种树形有利于培养大的侧枝,削弱顶端优势改善了内膛光照条件。

(3)改良杯形:此树形是由杯状形改良而来的。结构特点是:在主干上分生 3 个一级主枝,每一主枝上再培养 2 个二级主枝,在二级主枝顶端再按二叉式分枝方式分生 7～11 个三级主枝,以后不再分头。主枝基角 50°～55°,腰角 60°～70°,梢角 45°。树形基本完成时主枝头剪口间的距离达到 80～100cm。在主枝上培养侧枝,全树共有 17～20 个侧枝。向主枝的左右两外侧延伸。从一级主枝开始培养侧枝,永久性枝全树上下 2～3 层,上下重叠的侧枝要保持 110～130cm 左右。主、侧枝上培养大、中、小型结果枝组。此形比老杯状形整形灵活,由于主枝头数目减少,增加了侧枝,相对削弱了顶端优势,有利于防止下部光秃,从而扩大结果面积,结

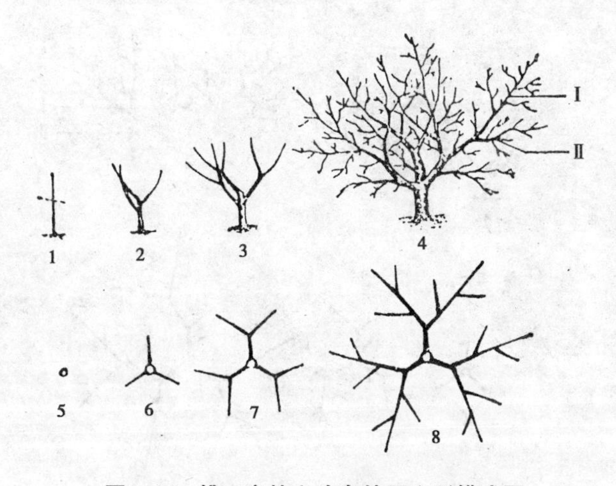

图 3-16　桃三主枝六头自然开心形模式图

Ⅰ. 主枝　　Ⅱ. 侧枝

1,2,3. 第一至第三年整形　4. 完成基本整形侧视图

5,6,7,8. 俯视图

果早、盛果期较长。

另外还有二主枝开心形、疏散开心形、扇形、三挺身侧枝分层形等,这里不再一一介绍。

2. 整形

以改良杯状形(见图 3-17)为例说明幼树整形过程。

(1)定干:干高指树冠最下一个主枝基部距离地面的高度。密植园干高 80～120cm,稀植园为 20～30cm。中等密度的果园(每亩 33 株)干高为 40～50cm。定干时要留 20～30cm 整形带。

(2)主枝的选留方式:定干后第一年冬剪时,选留 3 个主枝,剪留长度根据长势而定。一般按枝条基部(直径)粗度的 25 倍剪留,其余枝条凡影响主枝生长的旺枝或重叠枝可以疏除。不影响生长的可留优质辅养枝,有花芽的轻剪保留结果。

(3)二级主枝的选留:定植后第二年冬剪时,在 3 个一级主枝

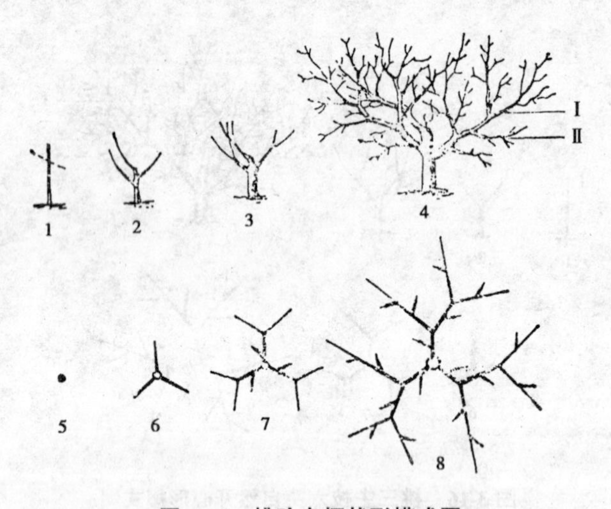

图 3-17 桃改良杯状形模式图

Ⅰ. 主枝　　Ⅱ. 侧枝

1,2,3. 第一至第三年整形　4. 完成基本整形侧视图

5,6,7,8. 俯视图

的顶端萌发的延长枝中,选留 5～6 个方向和角度适宜的枝头作为二级主枝,剪留长度可按基部粗度的 30 倍剪留。一般剪留 60～70cm。选留间隔大的,2～3 个主枝头剪口芽留两个外侧芽,以便继续分头,不分头的主枝剪口芽留一个外芽或侧芽,继续延长。剪留二级主枝时要注意平衡各主枝的长势。

(4)三级主枝的选留:第三年冬剪时,在二级主枝的顶端萌发的延长枝中,共选留 7～9 个方向、角度适宜的枝头作为三级主枝。剪留长度可按基部粗度的 30 倍,一般剪留长度为 70～80cm 左右。此时该树形主枝已够数,各主枝的剪口芽根据角度、方向留一个外芽或侧芽继续延长。

(5)三级主枝以上各主枝的剪留长度:从定植后第四年开始,主枝即不再分头。初结果期,树冠继续扩大,主枝延长枝生长势较旺,各主枝延长枝剪留长度为 40～50cm。盛果期,由于结果量增加,主枝延长枝剪截应适当加重,一般剪留 30～40cm。若树冠相互交接,主枝延长枝可缩剪。衰老期主枝延长枝留 15～20cm,促进生长。还可回缩主枝,更新复壮,延长结果年限。

(6)侧枝的培养:定植后的第二年冬剪时开始在一级主枝上选留侧枝,一般利用主枝延长枝剪口芽下 2～4 个芽抽出的枝培养侧枝,以外斜侧为宜。侧枝剪留长度约为主枝长度的 2/3。侧枝修剪时,要保持与主枝的主从关系。

3. 冬季修剪

(1)结果枝的修剪:幼树期树势旺,果枝要长留,长果枝和徒长性果枝可留 30～40cm 或缓放不剪,待结果下垂后再回缩,应尽量多留副梢果枝。徒长枝可疏除,初果期和盛果期,树势生长中庸,一般长果枝剪留 4～9 节花芽,中果枝 3～5 节花芽,短果枝 2～3 节花芽。花束状果枝只疏不截。徒长性果枝过密时要疏除,在培养枝组时留 20～30cm 剪截。衰老树,树势弱,果枝剪留要短。

(2)结果枝的更新修剪:盛果期的桃树,果枝在结果后发枝力渐弱,需及时更新修剪。方法有二,即留预备枝更新与不留预备枝的更新。不留预备枝更新,又称单枝更新,修剪时,即对果枝短截适当加重,使既能结果又能发生新梢作为下年结果用。留预备枝的更新,又称双枝更新,修剪时,即在同一母枝上选留基部相邻的两个结果枝,上枝轻剪长留,做结果枝用,下枝留 2～3 节重截,翌年不留果,使其抽生壮梢,预备下年结果,这重截的下枝,即为预备枝。下年冬剪时,将已结果的上枝(已经结过果的枝)剪去,预备枝所发生的两个新梢,其上部的一个作为结果枝,下部的一个又重截作为预备枝。如此每年更新,使结果部位不远离大枝,又可复壮枝组。

(3)徒长枝的修剪:要尽早疏除无用的徒长枝,有空间生长的徒长枝可以培养成枝组,冬剪时,剪留 20～30cm,徒长枝也可以培养成主枝,侧枝作更新骨干枝用。

(4)枝组的修剪:坚持培养和利用相结合的方法,使结果和生长相互兼顾。树冠外围的大型枝组,对其延长枝的剪截程度要比侧枝重些,注意剪口芽或延长枝的方向,使其每年弯曲生长。对树冠内大、中型枝组的培养采用先重截后轻剪的方法,冬剪时,对徒长性果枝或徒长枝采用重剪留20~30cm,次年通过夏剪回缩和摘心控制。冬剪时去强留弱,去直留斜,上部多留果枝,结果后即趋缓和,以后每年缩剪顶生强枝,以斜枝带头,使其拐弯上升,并注意向骨干枝两侧延伸,高度不超过骨干枝头,树冠下部的中小枝组,当抽梢能力下降而基部出现纤细枝时,应压前促后,剪去先端1~2年生枝,促其基部复壮。当枝组衰老后,基部出现旺枝,可用先截后放法培养枝组。过弱的小枝疏除。

4. 夏季修剪

主要用于生长旺盛的幼树和初果期树。夏剪的目的是:①平衡树势,加速树形形成。②控制旺枝,利于花芽分化,降低花芽形成部位,达到早结果、早丰产。③疏去过密枝,促其通风透光,提高果实品质。④冬夏剪结合时避免一次修剪过重,削弱树势。

(1)第一次夏季修剪(北京4月下旬至5月上旬):①抹芽、除梢:当新生芽长到5cm时,抹去无用的芽和新梢。双芽枝"去一留一"。②矫正骨干枝冬剪留芽不正:对主、侧枝延长枝冬剪时剪口留芽不正进行矫正。③缩剪果枝:对冬剪所留过长的果枝,上部未坐果的缩剪到有果部位。无果的果枝缩剪成预备枝。

(2)第二次夏季修剪(北京在5月下旬至6月上旬):①控制竞争枝和徒长枝:对主枝延长枝剪口下背上所萌发的竞争枝,必须予以控制,密而直立时可疏除,如不密且有副梢者可留1~2个副梢,剪去上部主梢,无副梢者可留30cm左右短截培养成枝组。②调整骨干枝的角度和方向:对直立品种或生长旺而直立的主枝,可选用方向、角度适宜的副梢作延长枝,开张角度,将副梢延长枝以上的主梢剪除,副梢延长枝以下的副梢进行摘心控制。③开张树冠外围直立枝的角度:可利用副梢开张角度解决通风透光问题。

(3)第三次夏季修剪(北京在7月上、中旬):①果枝摘心:对尚未停止生长的长果枝剪去1/5～1/4,促进花芽分化。②副梢摘心:对骨干枝延长枝上的副梢进行摘心控制生长,促进枝条组织充实。对第二次夏剪所控制的徒长枝和竞争枝上的副梢进行摘心,控制生长,促进花芽分化。

(4)第四次夏季修剪(北京在8月上、中旬):主要控制上次夏剪果枝摘心后所发生的二次副梢,对这些副梢进行摘心,控制生长,促进花芽分化。并对骨干枝的延长枝进行摘心,促其组织充实。

五、品种介绍

1. 五月鲜

五月鲜果大,平均果重117～180g,最大300g,圆形,缝合线深,果顶乳白色,味甜美,离核。6月中下旬成熟(农历五月成熟,故称“五月鲜”)。树势健壮,顶端优势强,以短果枝结果为主。

2. 庆丰

庆丰是北京农科院1965年用大久保和阿目斯丁杂交育成,1975年定名。果实在漯河6月中旬成熟,平均果重130～150克,最大果重200克。果实长圆形,果顶圆微凹。果面淡黄绿色,阴面有红色点状晕,间有少量条纹。味香甜品质好,粘核。树势强,树姿半开张。为早熟优良品种。

3. 雨花露

雨花露是中国农业科学院江苏分院用白花水蜜与上海水蜜杂交育成。果较大,平均重125g。最大的175g,在河南6月中旬成熟。果面乳黄,果顶有淡红色细斑点。果肉乳白色,柔软多汁,风味甜。品质上等。树势健壮,树姿半开张。各类果枝结果均好。

4. 朝霞

朝霞由中国农科院江苏分院用白花水蜜与初笑美杂交育成。

果大,平均重量为150g,果实圆形或长圆形。果面乳黄色。果顶有红晕。品质中上等,6月下旬成熟。树势较强,树姿半开张,坐果率高。丰产性好。

5. 豫甜

豫甜是河南农大1964年播种脆白天然杂交种子,1973年从实生苗中选出。7月中旬成熟,果实圆形,平均果重160g,最大420g。缝合线两侧及阳面有鲜红到紫红色晕。核小,粘核。食味浓甜,品质上等。果皮厚,耐贮运。树势健壮,树姿半开张,以中长果枝结果为主。自花授粉结果率高。

6. 大久保

大久保系日本品种,属南方水蜜桃类。果大,平均果重137~272g,最大达500g。果近圆形,果面黄绿色,阳面有红晕。果肉乳白微绿,完熟后柔软多汁,味甜,离核,品质上等,河南7月下旬成熟。树势中等偏弱,树姿开张,新梢先端易下垂。以中长果枝结果为好。坐果率高,丰产性好,是河南的主栽桃树品种。

六、病虫害防治

1. 桃树褐腐病

褐腐病是核果类共同存在的重要病害。

(1)症状:主要为害果实,也能为害花叶和新梢。果实从幼果至成熟期以至贮藏期都能受害,生长后期与贮藏期受害最烈。病果初期发生褐色圆形病斑,迅速发展到全果。果肉深褐色,湿腐,从病部表面出现灰褐色霉丝。全果腐烂后,水分丢失干缩成僵果,呈深褐色或黑色,此即菌丝与果肉组织夹杂在一起形成的一个大型菌核,僵果常挂在树上经年不落。花瓣及柱头受侵染时,先发生褐色斑点,后花器逐渐变褐枯萎。天气阴湿时,病花迅速腐烂,表面出现灰霉。若天气干燥,则萎垂干枯,病花残留枝上,久不脱落。嫩叶受害,变褐萎垂,病叶也残留枝上不落。病原菌属子囊菌纲、柔膜盘菌目、核盘菌科。

(2)发生规律:病菌在僵果或病枝溃疡中越冬。翌年产生分生孢子随风传播,进行初次侵染。分生孢子在初次侵染中起主要作用。病菌可经气孔、皮孔侵入果实,但主要是经虫伤等伤口入侵。在气温20～25℃多雨多雾的条件下,此病容易发生。桃蟒象等害虫为害,给病菌侵入提供了机会。贮藏期如遇高温和潮湿条件,则病害较重。

(3)防治方法:①冬季清除园中和树上的僵果及病枝,深埋或烧毁。结合深翻,将地面上残留的病果等残体翻入土中。②防治桃蟒象、象鼻虫、食心虫等害虫,预防果面发生伤口,减少病菌自伤口侵入。③发芽前喷洒波美0.3度～0.4度石硫合剂,或65%代森锌400～500倍液,或70%甲基托布津800～1 000倍液。

2. 桃炭疽病

炭疽病主要为害果实和新梢。

(1)症状:幼果染病后呈现暗褐色,发育停止,萎缩硬化。稍大的果实染病时,果面发生暗绿色水渍状斑点,扩大凹陷呈现深褐色。果实在近成熟期染病时,果面发生淡褐色小斑,扩大成圆斑或椭圆凹陷病斑(见图3-18)。病果腐烂后,最终脱落或者干缩成僵果挂在树上。叶片受害后,叶缘两侧向正面纵卷,甚至卷成管状。枝梢感病时,病梢向一边弯曲,病情严重时病梢枯死。病原菌是半知菌类。

(2)发生规律:病菌主要以菌丝体在病梢组织内越冬。第二年产生分生孢子借风雨和昆虫传播,在桃树生长期不断重复侵染为害。一般在5月份开始发生,7～8月份最盛,通常在果实成熟时高温多雨,有暴风雨时发病严重。

(3)防治措施:①冬季结合修剪清除病梢、病果,减少初侵染源。②果实套袋可以防止果实受害,套袋可在5月内的晴天进行,以免袋内温度过高。但套袋前和去袋后,还可以进行喷药保护。

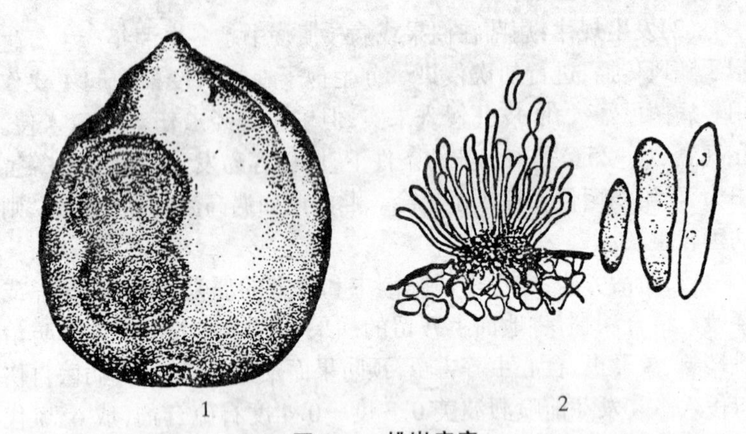

图 3-18 桃炭疽病

1. 症状 2. 病原(分生孢子盘及分生孢子)

③发芽前喷洒波美 5 度石硫合剂,自果实豆粒大时喷洒有机硫制剂 600 倍液,或 70% 甲基托布津 1 000 倍液,或用 40% 杀疽灵 2 000倍液,或 50% 退菌特可湿性粉剂 800～1 000 倍液。加强果园管理,及时搞好果园排水,适当施肥,防治徒长。

3. 桃树腐烂病

腐烂该病又称干枯病,主要为害主干和大枝,引起死树,症状比较隐蔽(见图 3-19)。

(1)症状:其特征是树皮流胶,树皮组织腐烂,湿润有酒糟味,以后干缩,上密生黑色小点即病原菌的子座,当空气潮湿时从中涌出红黄色丝状孢子角。

(2)发生规律:桃腐烂病菌是一种弱寄生菌,借风雨、昆虫从各种孔口侵入,主要是冻伤、锯伤、虫伤。冻伤与管理粗放是病害发生的诱因。秋季多雨或因施肥、灌水不当,导致桃树休眠迟延,抗寒力降低,腐烂病重。

(3)防治方法:①修剪时要及时清除病梢,病枝集中烧掉,并坚

图 3-19　桃树腐烂病症状

1. 枯枝　2. 溃疡状病斑

持常年刮治病斑。刮治方法是树皮没有烂透的部分，只要将上层病皮刮除，病变达到木质部的要刮到木质部。刮治后，用 40% 福美砷 50～100 倍液，或 50% 退菌特 50 倍液涂抹，已经露出木质部的伤疤，可选用对树皮没有严重伤害的煤焦油制剂，涂抹木质部，铲除病菌。②加强管理，增施有机肥，避免偏施氮肥。增强树势，提高抗寒能力，雨季及时排除积水。

4. 桃蛀螟

桃蛀螟又名桃蛀虫，桃实虫等。是杂食性害虫（见图 3-20）。

成虫体长 12mm 左右。翅展 25～28mm。常以幼虫为害果实。

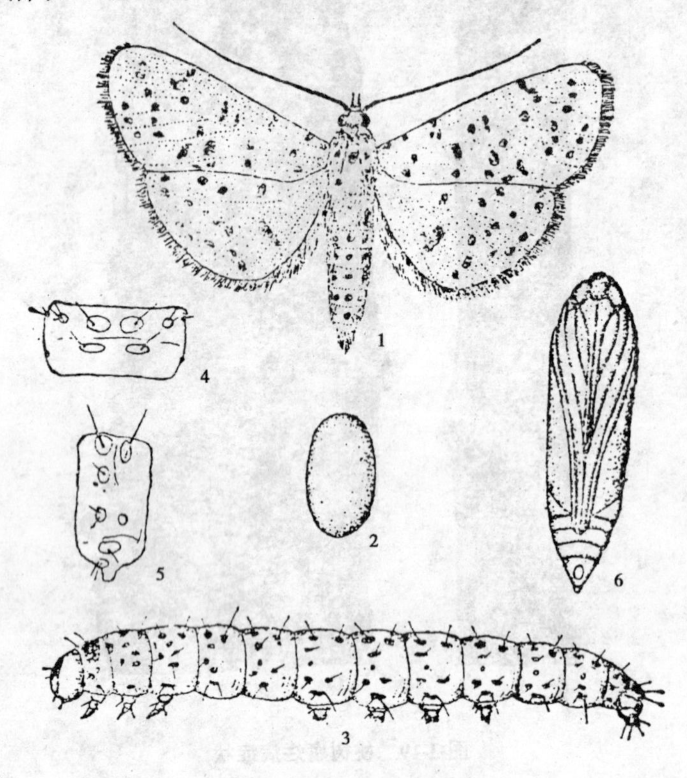

图 3-20　桃蛀螟

1. 成虫　2. 卵　3. 幼虫　4. 幼虫第四腹节背面观

5. 幼虫第四腹节侧面观　6. 蛹

(1)症状：桃果受害时，造成流胶，蛀孔外粘附着粒状虫粪，但杏受害时无虫粪排出。

(2)发生规律：此虫在我国北方各省每年发生 2～3 代，世代重叠，以老熟幼虫在僵果、树皮缝、向日葵等植物茎秆上越冬，次年 5 月上中旬出现成虫，盛期在 5 月下旬至 6 月上旬。桃蛀螟发生与雨水有关,5月份雨多有利于发生。

(3)防治方法:①秋季采果前于树干绑草,诱集越冬幼虫,早春集中烧掉。同时处理玉米、向日葵等的茎或花盘。应于5月上旬前处理完,以减少虫源。②拾净和摘除病果,集中沤肥。③第一代幼虫孵化初期,可喷50%杀螟松1 000~1 500倍液,或90%敌百虫1 000~1 500倍液,一星期后再喷一次,可取得良好的防治效果。也可喷洒20%杀灭菊酯乳剂3 000倍液,80%敌敌畏1 000倍液。

5. 桃小食心虫

桃小食心虫为杂食性害虫,为害桃果。

(1)症状:虫蛀入果内后,虫孔流出水珠状果胶,随果实生长虫孔变小,成为小黑点,凹陷明显。被害果畸形,果内有大量虫粪。成虫体长7~8mm。老熟幼虫长12~15mm,全体桃红色,蛹长7mm左右。

(2)发生规律:每年发生1~2代,以老熟幼虫在土内越冬。次年4月底5月初越冬幼虫开始破茧出土,雨后出土最多,5月中旬到6月上旬为出土盛期,出土后的幼虫在树干基部裂缝或土块中结茧化蛹,蛹期9~15天,5月下旬成虫开始羽化,羽化后2~3天产卵,卵期6~7天,成虫大多在晚间活动,白天隐藏于果树枝叶及杂草上。卵散产。幼虫蛀果后为害20天左右,6月下旬开始脱果,7月上、中旬是脱果盛期。其中一部分入土结夏茧化蛹,发生第二代;另一部分则结越冬茧越冬。第一代幼虫7月上旬开始发生,在果内24.7天,7月下旬至8月上旬开始脱果,脱果孔圆形。至9月上、中旬,第二代幼虫入土作茧越冬。

(3)防治方法:①人工捕杀:在果园里发现树上有虫果时及时摘除,杀灭果内幼虫,每周进行一次。②地面防治:为了正确掌握越冬幼虫出土时期,可在5月上旬收集越冬虫茧500~1 000个放入瓦盆内埋上1~3cm湿土,将盆埋于树下用铁纱罩起,每天观察幼虫出土情况，如发现幼虫连续出土时，立即撒药或喷药。每隔10～15天进行一次。5月下旬至6月上旬，在地面喷洒25%的对硫磷微胶囊剂或25%辛硫磷微胶囊剂300倍液，或40.7%乐斯本450～600倍液，施药于整个树冠下，亩用药量0.5kg。③卵期和幼虫孵化期用50%杀螟松1 000～1 500倍液，50%马拉硫磷500倍液，50%杀虫双1 000～1 500倍液，20%速灭杀丁3 000倍液。5～7月份每隔15天喷一次药，农药交替使用效果更好。

6．桃蚜

(1)症状：桃蚜俗称腻虫，主要为害嫩梢、叶片，被害叶片发白卷缩以至脱落。

(2)防治方法：①春季在被害叶片未卷叶前喷40%乐果2 000倍，或1 000倍50%马拉松乳剂加1 000～1 500倍50%敌敌畏混合剂。②生长季用7份40%乐果乳剂原液加3份水。用毛刷将药液涂在主干周围约6cm宽。并用纸包扎好。③保护七星瓢虫和大型食蚜蝇。

第六节　李的栽培

一、经济意义及栽培状况

李果鲜艳美丽，味酸甜而香，是一种优良的鲜食果品。在我国栽培已有3 000多年的历史。果实中含糖量7%～17%，酸0.16%～2.29%，每100g果肉中含碳水化合物9g，蛋白质0.5g，脂肪0.2～0.7g，还含有钙、磷、铁、胡萝卜素等。这些都是人体健康所必须的营养物质。李干可入药，具有解渴生津和提神助消化的功效。种植李树也是农民致富的一个有效途径。舞阳县吴城镇一位果农种植1.3亩李树，现已进入盛果期，亩收入8 000余元。

二、生物学特性

1. 生长结果习性

李树为小乔木。树冠高4～5m,栽后3～4年结果,6～8年进入盛果期,寿命一般20年左右。李树根系发达,分布广而浅,主要吸收根分布在20～40cm处。李树的芽有叶芽和花芽两种。新梢顶端均为叶芽,中部为复芽,复芽中含有叶芽和花芽。还有生于叶腋的单花芽。叶片长倒卵圆形或倒卵圆形。李树幼龄时生长旺盛,一年可抽生新梢2～3次,年生长量可达1m以上。

结果李树的花芽为纯花芽圆形。结果枝分为长、中、短及花束状4种,以短果枝和花束状果枝结果为主。花束状果枝结果当年,顶芽向前延伸很短,形成新的花状果枝,长度仅1～2cm。结果率高,寿命长。

2.物候期及对环境条件的要求

物候期因品种、地区及栽培条件不同而异。北方品种能耐－20℃的低温,红干核和黄干核等品种可耐－35～－40℃低温。而南方品种则适于暖温地区栽培。李树对水分的要求不严,干旱和潮湿地区均能生长。李树对光照的要求不如桃树强,但果实要求良好的光照条件。李树对土壤的适应性较强,但以保水保肥、土层深厚、疏松肥沃为好。

三、育苗与建园

李树可用实生、分株、嫁接等方法繁殖,生产上以嫁接繁殖为主。桃砧和中国李嫁接亲和力强,但与欧洲李亲和力差。杏砧与中国李、欧洲李嫁接均易成活,结果好,寿命长。

建园栽植时,以宽行密植的长方形较好。这样便于行间间作和机械化耕作。稀植园,株行距(2～4)m×(5～6)m;密植园,(2～3)m×(4～5)m。李多数品种自花不实,栽植单一品种结实率低，必须配授粉树才能提高产量。

四、土肥水管理

李树结果早，产量高，需要较多的营养物质。因此加强土肥水管理十分重要。现在存在的落花落果、产量低等问题，主要是因为管理粗放，不施肥或施肥不足造成的。为了提高产量和品质，必须加强管理，改良土壤，增施肥料，合理修剪，适时灌水与排水，加强病虫害防治，并注意氮、磷、钾及微量元素的配方施肥。除早施基肥外，应特别重视开花前和采收后的两次追肥。施肥量：成年李树，基肥每株施农家肥 50kg，追肥每次每株尿素、钾肥各 250g，过磷酸钙 1.5～2.5kg，尿素叶面喷肥浓度为 0.3%～0.5%。

五、整形修剪

根据李树的生长、结果习性，树冠开张的用自然开心形，树冠直立的用两层疏散延迟开心形，矮化密植树用圆柱形。生产上，自然开心形较普遍，特点是通风透光，内膛和下部的枝组结实率高。寿命长，便于管理。整形修剪与桃树相同。

两层疏散延迟开心形，第一层 3 个主枝，第二层 2 个主枝，以上落头开心，这种树形特点是枝叶量多，生长势强，有利于提高产量。幼树整形阶段，应以轻剪缓放为主，结合适时回缩，多留大辅养枝，填补空间，分散养分，提高结果。幼树生长旺容易发生直立枝和斜生枝，应进行夏剪，如抹芽、除梢、处理徒长枝等。

盛果期树，对上层枝和外围枝疏放结合即疏密留稀，去旺留壮，改善光照条件。保留的枝条缓放不截，以便形成大量的花束状果枝。枝组应疏弱留强，去老留新，并分期分批回缩复壮，控制密度和长度。发育枝短截过急，易萌发长梢，不利于花束状果枝和提高坐果率。但连年缓放，结果部位外移，后部光秃，也不利于结果。为了维持枝组中下部结实力，发育枝缓放 1～2 年就应及时回缩。

如空间较大，需培养大中型枝组时，先将发育枝短截，促生分枝，再行缓放。徒长枝拿枝软化改造为枝组，长、中果枝缓放或短截，使其结果或培养中小枝组。

对于衰老树，应将主侧枝回缩复壮。回缩部位应在有较大分枝处，并注意保持大枝间主从关系，过长、过老的枝组，也应适当回缩，促使萌发较多的壮枝，培养成新的骨干枝或枝组，构成新树冠。

六、品种介绍

全世界的李子品种 2 000 余种，中国李约有 800 余个品种。

1. 朱砂红李

朱砂红李在山东鄄城栽培较多，树冠圆头形，树势中等，短果枝结果为主，果实大圆形，单果重 60～70g，果皮紫红色，味香甜，品质优良，7 月上旬成熟。

2. 玉皇李

玉皇李在河北昌黎、江苏徐州和安徽等地均有栽培，树姿开张，多生斜枝，叶片宽大，果实圆形，单果均重 42.5g，顶部微尖，果梗细长，果肉玉黄色。7 月上旬成熟。

3. 海里红

海里红又名朱红李、大红李。产于安徽砀山曹庄，为淮北主栽优良品种。树势强，树姿直立，果圆球形，果皮紫红色，果粉厚。平均单果重 76g，最大可达 108g。粘核，品质极优，7 月中旬成熟。

4. 金沙李

金沙李分布于昆明市。据说原产于德国，由传教士带入。树势强旺，树姿开张，果实圆形或卵圆形。平均单果重 35g，最大可达到 89g，果皮黄色或金黄色。果肉黄色，味香甜，6 月上旬成熟。

5. 济源黄甘李

济源黄甘李又名樱桃李。河南济源栽培面积大。树冠圆头形或半圆形，树姿较开张。果实中等大小，近圆形，果皮底色黄，色彩樱桃红,完熟后深红色。果肉淡黄色,汁多,甜酸适度。品质优。较耐贮运,7月上、中旬成熟。

6. 甜李

甜李产于青海,树势较强,单果重62g,果皮紫红色,肉质致密,有纤维,汁多,味甜,有特殊香味,品质较好。

7. 西安大黄李

西安大黄李树冠开张,树势强,果实偏圆形,单果重50~60g,果皮底色纯黄,有极少短茸毛。果肉橙黄色,汁多,味酸甜。带有香气,品质优良。粘核,6月下旬成熟。

8. 锡姆卡

锡姆卡为外国品种,果大小一致。果皮深紫红色,果肉黄白色。味道甜,外形美观。落果较重,不需人工疏果,需配授粉树。

七、病虫害防治

1. 李树红点病

(1)症状:叶片感病时,叶面发生红黄色近圆形病斑稍隆起,严重时可引起早期落叶。果上病斑与叶上相似,病果发育不良,畸形易落。

(2)防治方法:清除病叶是防治此病的根本措施,此外也可在开花末期及叶芽抽发时喷洒1:2:200式波尔多液。

2. 李袋果病

(1)症状:春季花落后不久发病,叶及枝梢发病变为肥厚扭曲,果实发病初为青白色,后变红褐至黑褐色,果内无核或小而偏于一边。病部均有灰白色粉末,为病菌子囊或子囊孢子。

(2)防治方法:①在春季芽膨大而未绽芽时,周密喷洒波美5度石硫合剂或1:1:100式波尔多液,杀死树上的越冬孢子,消灭初次侵染源,如喷药及时可完全消灭此病。②发现病叶后在形成子囊层前,及时摘除烧掉。

3. 穿孔病

(1)症状:有细菌性和真菌性两种穿孔病。主要为害叶片,严重时也侵害果实和枝条。

(2)防治方法:①结合冬剪,将病枝、落叶、落果等集中烧毁,加强果园管理。②发芽前喷波美5度石硫合剂。③展叶后发病可喷波美0.3度石硫合剂。

4. 桑白蚧

(1)症状:以雌虫或若虫群固着枝干吸食养料,严重时虫体密集重叠,使枝条表面凹凸不平,削弱树势,致使枝条或植株死亡。

(2)防治方法:①用硬毛刷除枝干上的虫体;②在若虫分散转移期喷洒含油量为0.2%的柴油乳剂加等量50%敌敌畏乳油1 000倍液,或用1 000倍50%磷胺乳剂,或用1 000倍50%马拉松乳剂,杀虫效果明显。

5. 红颈天牛

(1)症状:为害桃李等核果类果树。幼虫在木质部蛀食造成树干中空而死亡。

(2)防治方法:①利用成虫午间静息枝条习性,将其振落捕捉。②观查树干,发现虫粪时,用铁丝钩杀树皮下的幼虫。③在树干和主枝上涂白涂剂(生石灰10份,硫酸1份,食盐0.2份,水40份)防止成虫产卵。

6. 红蜘蛛

(1)症状:为害叶片,被害叶先出现黄色点,严重时叶变枯黄脱落,造成李树早期落叶病,使树势衰弱,并直接影响当年产量。树体可发生两次发芽,两次开花现象。成虫在树皮裂缝及树干附近土壤中越冬。

(2)防治方法:①冬季刮老树皮,铲除树干周围表土深埋。②萌芽前喷波美5度石硫合剂。③生长期喷波美0.5度石硫合剂,或喷700～800倍20%的三氯杀螨砜可湿性粉剂,或喷2 500倍

50%的三硫磷乳剂。每10天喷一次，连喷3次就可达到防治目的。

第七节　杏的栽培

一、经济意义

杏树是我国北方普遍栽培的果树之一。果实酸甜多汁，营养丰富。果肉中含有糖、蛋白质、维生素、钙、铁、磷等人体所需要的营养元素。杏成熟期早，一般在5～6月间即可采收，对调节初夏的市场供应有重要作用。杏仁是重要的药材，又是制作高级糕点的原料。种植杏树也是农民致富的一个途径。

二、生物学特性

1. 生长结果习性

栽后2～3年即可开花结果，10年即进入盛果期。寿命一般40～100年，有的达100年以上。

(1)生长习性：杏根系强大。芽具有早熟性。当年形成芽后，条件适宜即可萌发抽生二次枝，利用这一特性可早成形，早结果。杏幼树生长快，新梢年生长量可达2m。

(2)结果习性：杏树花芽为纯花芽，每花芽开一朵花。枝条中、下部多生复芽，并列复芽的花芽和叶芽排列与桃树相似，中间多为叶芽，两边为花芽，这种复芽坐果率高而可靠。杏树以短果枝和花束状果枝结果为主，但寿命短一般不超过5～6年。

2. 物候期

一般杏树萌芽开花较早。但因品种，立地条件，管理水平等不同，它们在发芽开花，新梢生长和果实成熟这些物候期各不相同。

3. 对环境条件的要求

能耐较低的温度，在休眠期遇到－30℃的低温也能安全越冬，杏抗旱能力强,但抗涝能力差。杏树喜欢土壤湿度适中和干燥的空气条件,水分过多会引起徒长或病虫害。杏树为喜光树种,光照充足,能使树体良好生长,果实品质也好。

三、育苗与建园

杏树一般采用嫁接繁殖。杏树做砧木亲和力强,嫁接成活率高。实生杏园杏树大小不一致,结果早晚和成熟期也不一致,杏果质量无保证,商品率极低,经济效益差。因此,应当采用嫁接育苗的方法培育种苗。

杏树自花结实力强。培育嫁接苗时,春季除用枝接法外,带木质芽接既省接穗,成活率又高。一般用冬剪时剪下的枝条,选取一年生粗细适中、芽子饱满、无病虫害的枝条作接穗,经过贮藏,在春季砧木开始离皮时嫁接。芽接片带木质部的厚薄依砧木皮层的厚薄而定,砧木皮层厚,芽片木质部要带得厚些,相反可薄点。接好后用塑料条扎紧,将芽露出,并将砧木上部剪去。一般在 6~7 月份多采用木质部丁字形芽接法。取芽时,微带木质部,芽片中部要薄,这样成活率高。建园时要注意授粉品种的选择,以提高产量和品质。栽植时期,暖地宜秋栽,寒地宜春栽。平坦肥沃地,株行距 6m×7m、6m×6m 或 5m×6m,土壤瘠薄的山地以 4m×5m 或 3m×5m 为宜。

四、土肥水管理

杏树在肥水充足的条件下,树势健壮,产量高,品质好。应在每年秋季落叶以后结合土壤耕翻施用一次基肥。以有机肥为主,如粪肥、优质堆肥等。大树每株施土杂肥 50~100kg 并混施 0.5~1.0kg 尿素,可提高花芽分化质量,促进翌年春季的生长和结果。追肥在生长季节进行,一般追 2~3 次。追肥要结合浇水进行,第一次在花前半月追;第二次在硬核期施,以速效氮肥为主,成年树每株施 0.5～1.0kg 尿素；第三次在采收后，施肥量要比前两次大，并且氮、磷、钾复合施用。

五、整形修剪

杏树整形的目的在于形成坚实合理的骨架，最大限度地达到通风透光，合理的树形应是结果早、丰产、易管理、果品质量高。树形可根据栽培条件、管理水平和品种特性决定。可供选择的树形有自然开心形、疏散分层形、自由纺锤形、自然圆头形等。

幼树栽植，距地面 70～90cm 处定干，在 1～2 年内选留 5～6 个主枝，主枝上每隔 30～50cm 留一个侧枝，共留 2～3 个侧枝，主侧枝要保持主从关系，合理占有空间。

初果期树，短果枝、花束状果枝和中果枝可不剪，对延长枝和较强的发育枝，剪去原长的 1/3 或 2/5。疏除过密枝和徒长枝，其余枝条长放。长果枝留 3～4 个芽短截，培养枝组。随结果量的增加，应将短截、长放、疏枝、回缩几种方法相结合。为防止大树冠内光秃，可在主、侧枝的两侧利用发育枝短截或缓放枝回缩，培养成永久性枝组。短截培养时在延长枝的中下部饱满芽(20cm)处短截，其余长分枝在好芽处短截，弱分枝缓放结果。枝组内的中、短果枝要多缓少截，发育枝要多截少疏。

盛果期树势减弱，延长枝和其他分枝要多短截，少缓放。对多年生和过密的枝要回缩，冠内多年生的中、短果枝选有分枝处回缩或疏除。无利用价值的衰老短果枝、花束状果枝可以疏除。

衰老树应在加强肥水管理的基础上，对骨干枝回缩更新，以恢复树势，延长结果年限。

现就自然圆头形给予简要叙述：这种树形是顺应杏树自然生长习性，稍加调整而成，无明显的中心干。定干后在整形带内选留 5～6 个错落开的主枝，除最上部一个主枝向上延伸外，其余皆向外围伸展。当主枝长度达到 50～60cm 时剪截和摘心，促使形成二三个侧枝，使侧枝分别排列在主枝两侧，主枝头继续延伸。当侧枝长 30～50cm 时，剪截或摘心，促其形成结果枝及结果枝组。自然圆头形成型快、进入结果期早、容易丰产。但树冠易郁闭，骨干枝中下部易秃裸，结果部位容易外移，树冠外围易下垂。

六、病虫害防治

1. 杏疔病

杏疔病又名杏黄病或红肿病，是一种真菌性病害，分生孢子器近球形。

(1)症状：该病为害新梢、叶片、花和果实。病梢上的叶片，部分变黄变厚，叶脉呈现红褐色，叶肉肥厚，暗绿色，两面出现红褐色小点粒(分生孢子器)。以致叶片红黄色，向叶背卷曲，干枝变黑。病花多不易开放，花苞增大，花萼、花瓣不易脱落，果实生长停止，果面有淡黄色病斑，也生有红褐色小点粒，病果干缩脱落或挂于枝上。此病的发病规律还在研究之中。从一个芽发出枝叶均感病的情况看，病菌可能以菌丝体在芽内越冬，至第二年发芽抽叶时感染新梢及叶片。

(2)防治方法：①5 月间将刚发病的叶丛和病梢剪除并烧毁。坚持 2～3 年，基本消灭此病。②在早春喷布波美 5 度的石硫合剂可防治该病。

2. 杏流胶病

(1)症状：此病通常发生在主干或主枝上，也发生在小枝和果实上。被害枝流出淡黄色树胶，干后成块，严重时树皮干裂坏死；造成整株死亡。被害果果面布满胶粒或糊满胶块。病部发育变青发硬，常有裂缝，不能食用。引起流胶的原因很多，既有真菌感染，也有细菌侵入，还有害虫为害以及农药施用不当等造成。

(2)防治方法：避免造成伤口，预防雹灾，冻害或日灼。主干和大枝涂白，及时防治天牛和小蠹虫，控制氮肥施用量。不过量使用农药。早春喷5度(波美度)石硫合剂可防止流胶病发生。刮除病枝的干皮,涂40%福美砷50倍液控制其蔓延。增施有机肥,改善土壤的物理状况。

3. 杏仁蜂

杏仁蜂为广肩小蜂科,是为害杏的主要害虫之一。雌成虫长7~8mm,黑色。雄虫6~7mm,老熟幼虫长7~12mm。

(1)生活习性:此虫一年1代,以幼虫在落杏核内或干枯枝条上的杏核内过冬。次年4月化蛹,杏落花后开始羽化,出土后在地表停留1~2小时开始飞翔,进行交尾。产卵于杏核皮之间。每雌虫产卵20~28粒,卵期10天,孵化的幼虫在核内食害杏仁,造成大量落果,幼虫在杏核脱皮4次,大约在6月上旬老熟幼虫在核内越夏越冬。

(2)防治方法:拾、摘被害果是防治杏仁蜂的有效措施。5月上旬成虫羽化盛期喷50%敌敌畏1 000~1 500倍液或50%速灭杀丁、20%的中西杀灭菊酯4 000~5 000倍液杀灭成虫。

4. 杏象鼻虫

(1)为害特征及生活习性:杏象鼻虫又名杏象甲,是鞘翅目害虫,专门为害杏果。该虫各地都有发生,常常造成严重落果。成虫体长7~8mm,紫红色,口器细长,管状如象鼻。幼虫无足。杏象鼻虫每年发生1代,以成虫在土中越冬。杏树开花时成虫自土中爬出,到树上咬食嫩芽和花蕾。有假死性,受惊后落地不动。5月中下旬在幼果上产卵,然后将果柄咬伤。7~8天孵化出幼虫,在果内蛀食果肉和果核,被害果落地后老熟幼虫爬出,入土化蛹,秋末羽化为成虫越冬。

(2)防治措施:①根据其假死性可在早晨振树使象鼻虫落地进行捕杀。②拾净落果集中烧掉以减少虫源。③可喷50%久效磷1 000倍液。

5. 杏毛虫

(1)为害特征及生活习性:杏毛虫又叫天幕毛虫、顶针虫,食性很杂,每年发生1代,以小幼虫在卵壳内越冬。杏树展叶后破壳而出为害嫩芽或幼叶,后转到枝杈处吐丝结网呈现幕状,白天潜伏网内,夜间爬出取食,所以又叫天幕毛虫。幼虫脱皮4次离开丝网,分散取食,白天集中于枝杈处遇振动吐丝下垂。幼虫期45天左右,食量极大。5月下旬化蛹,6月上旬至7月上旬羽化成虫,昼伏夜出,交尾产卵于枝梢。卵块围绕枝梢成顶针状,故又名顶针虫。1个卵环常有200~300个卵粒。成虫有趋光性。幼虫孵化后在卵壳内越冬。

(2)防治措施:根据杏毛虫的生活习性,可用剪除卵块,振动幼虫捕杀,或用25%的敌敌畏棉球捅虫窝。发生严重时用25%的辛硫磷2 000倍液喷雾。

第八节　枣的栽培

一、经济意义

枣树是我国特产果树之一。主要分布在黄河流域,栽培历史悠久。据史料记载,远在5 000多年前的新石器时代,枣已是人们食物的组成部分。枣营养丰富,鲜枣含糖量可达25%~35%;干枣含糖量达60%~70%,蛋白质1.2%~3.3%,脂肪0.2%~0.4%以及矿物质铁、磷、钙等。维生素C的含量最丰富,每100g鲜枣果肉中含400~600mg,比含量较多的柑橘高7~10倍。维生素A、B的含量也很丰富。

枣除鲜食外,还是食品加工的良好原料。可以制成干枣、蜜枣、枣泥、枣酒和其他糕点。枣是中药中常用的滋补剂,有健脾、补血、缓和药性的功能。枣树具有栽培省工,适应性强,收益快,一年栽培多年受益的特点。例如,河北省果树研究所对枣树密植丰产进行了大量的研究,使6年生幼树亩产达到510kg。枣树栽植虽发展很快,但还存在不少问题,如管理粗放,任其自然生长。病虫害严重,不少地区枣树叶被害虫吃光。这些问题都应在以后的生产实践中加以解决。

二、生物学特性

1. 生长结果习性

枣树是一种寿命长,结果早的果树。嫁接苗定植当年就开花结果,根蘖苗栽后2~3年开花结果。

(1)根:枣树的根生长力强。水平根很发达,一般超过树冠3~6倍。主要根群分布在离地面15~30cm的地层内,50cm以下很少有水平根。枣树容易发生根蘖,根蘖苗可用来繁殖新植株。

(2)芽:枣树的芽有主芽、副芽两种,主、副芽着生在同一节位上,上下排列为复芽。主芽着生在枣头和枣股的顶端及枣头一次枝、二次枝的叶腋间。幼树枣头顶端的主芽可连续生长7~8年,只有生长衰弱的才停止萌发或形成枣股。副芽位于枣头各节主芽的侧上方,为早熟性芽。当年即可萌发。

(3)枝条:枣树的枝条(发育枝)、枣股(结果母枝)和枣吊(结果枝,脱落性枝)三种。

(4)花芽分化:枣的花芽分化具有当年分化及多次分化、分化速度快、单花分化期短、持续时间长等特点。枣的花芽分化一般是从枣吊或枣头的萌发开始的,随着枣吊的生长由下向上不断分化,一直到枣吊生长停止而结束。每朵花完成形态分化需5~8天,一个花序约8~20天,一个枣吊可持续1个月左右。

(5)开花和授粉:枣树开花多,花期长,但坐果率低。枣股上每一枣吊开花期平均10天左右,枣头上着生枣吊开花期迟而且较长,因此全树开花达2~3个月,但以枣股上枣吊的花所占比例最大,花期较集中。枣树的多数品种能够自花授粉,正常结实。如配有授粉树,可提高坐果率,增加产量。

2. 物候期

枣树的物候期比一般果树萌芽晚,落叶早,开花期长,生育期短,生长期160~185天。4月下旬、5月上旬萌芽展叶时,根生长加快,到7月中旬至8月中旬达到生长高峰,9月后开始下降。春季气温13~14℃时,芽开始萌动,待到18~20℃时,枝叶达到生长高峰。8月下旬果实着色,9月下旬采收,10月中下旬落叶。

3. 对环境条件的要求

枣树是喜温果树,13~14℃时开始萌动,17℃以上抽枝展叶,19℃以上出现花蕾,20~22℃时开花。果实成熟的适温为18~22℃。抗低温能力强,在-32.9℃的严寒条件下仍能安全越冬。枣树在降雨量为400~600mm的地区能够正常生长。枣树为喜光树种,对土壤适应性强,耐旱,耐瘠薄,耐盐碱。不论砾质、沙质或黏质土壤均能生长。

三、繁殖与建园

1. 繁殖方法

(1)分株繁殖:利用枣树有自生根蘖的特性,将其培养成植株。春季发芽前(3月下旬至4月上旬),在优良品种枣树的树冠投影区一侧挖沟,沟深50cm,宽30cm,沟向与枣行向平行,切断直径小于1.5cm的小根,削平根断面,然后施入适量草木灰及厩肥湿土,5月份即可萌发出根蘖。在苗木生长过程中,应间去过密弱株,留壮苗,并施肥灌水。枣苗高1m左右时即可挖出栽植。

(2)扦插繁殖:扦插繁殖是利用枣树营养器官的再生作用,把根或枝插入土壤中,通过科学管理使其发育成枣树新个体的一种繁殖方法,这种方法又分为硬枝扦插育苗和绿枝扦插育苗。

(3)嫁接繁殖:首先是砧木和接穗选择。酸枣作砧木,资源丰富,嫁接易成活,结果早,较丰产,并能保持原有的优良品质;芽接一般选1~2年生苗木;枝接应选多年生枝,粗度1.5cm以上的为好。嫁接方法有劈接、插皮接、切接、T字形芽接等。

2. 建立果园

(1)园地选择:应尽量满足枣树生长发育的要求,以排水良好、通透性强、水位较高的沙土或沙壤土为最好。

(2)栽植时期:栽植时期以萌芽期栽植成活率最高。自落叶到第二年萌发前整个休眠期均可栽植,但根据南、北方气候特点,可分为秋栽和春栽。秋栽是指11月下旬至12月中旬这段时间栽植,南方各地适宜秋栽。春栽多在3月下旬至4月中旬(即从解冻到枣树萌芽)这段时期进行,一般以萌芽前栽植为好。北方地区适宜春栽。

(3)栽植方式:①枣粮间作。其主要形式有枣树+豆类,枣树+花生,枣树+小麦,枣树+蔬菜。②矮化密植园。河南新郑枣树研究所近几年采用株行距2m×3m,3m×3m,1m×2m和宽窄行1m×4m和1m×2m等不同的栽植密度,4年生枣园,平均株产5kg,效益为当地农田收入的3~6倍。③山地枣园,根据坡度变化,株行距可大可小,一般行距为6~15m,株距为2~5m。

四、土肥水管理

加强土肥水管理,对于提高枣树的产量和果实品质十分重要。

1. 土壤管理

新栽植的枣园,要平整好土地。山区应修梯田,平原要结合培育枣苗清刨根蘖,春旱时中耕除草,松土保墒,选择合理的间作植物。

2. 施肥

枣树每年施基肥一次,一般在果实采收后立即进行。一般每株树施基肥50~100kg,最好再加1~2kg钙、镁、磷肥。追肥以氮肥为主,适当配合磷、钾肥。追肥以萌芽期、坐果期、果实膨大期为主追肥3次。每生产100kg果，施氮、五氧化二磷、氧化钾分别以1.9∶0.9∶1.3(kg)的比例配方。

3. 灌水

枣树耐旱，但过分干旱会引起落果和果实发育不良。根据枣树生长发育特点，一般在以下4个时期灌水。①发芽前结合施肥灌水，可提早发芽2～3天，使花蕾增多。②开花前结合追肥灌水使开花良好。③开花期灌水增加空气湿度，有利授粉受精，结合叶面喷浓度为0.000 1%的硼肥溶液，可提高坐果率。④幼果迅速膨大期灌水，可防止落果、萎蔫，促进幼果生长发育。

灌水方法有沟灌法，畦灌法，喷灌法，株灌法。

五、整形修剪

1. 生长发育特点与整形修剪的关系

(1)生长量小，修剪量小，结果部位稳定。

(2)生长结果转化快，花芽容易形成，分布比较均匀。

(3)不定芽容易萌发。

2. 整形修剪的原则

(1)整形原则：骨架牢固，枝量合理，因树作形，有形不死。

(2)修剪原则是：主从分明，错落有致，通风透光，提早结果，果期延长。

3. 树形结构和特点

枣树是喜光树种，树形结构必须是骨干枝健壮牢固，主枝分布合理，层次分明，结果枝适量，通风透光良好，才能稳产高产。枣树的树形有主干疏层形、开心形和自然半圆形等。

(1)主干疏层形：适于干性强、层次分明的品种，如圆枣、晋枣、板枣等。一般有主枝8～9个，分3～4层。开张角度50°～60°，每主枝留1～3个侧枝，层间距为50～70cm。这种树形树冠大，主枝分层排列，光照好，易丰产。

(2)多主枝自然半圆形：适应长势较强的品种，如长红枣，赞黄大枣，大荔圆枣。主枝6～8个，无层次，在主干上错落排列，每主枝2～3个侧枝，树顶开张。一般枣树干高1.2～1.4m，枣粮间作的干高1.4～1.6m。树高5m左右，冠径4～5m。

4. 修前时期和方法

(1)冬季修剪。①短截：指对当年生枣头和二次枝的修剪。只保留2～3个二次枝称中短截，适用发展空间不大的枣头，以利培养结果枝组。只保留潜伏芽的修剪称为重短截。②回缩：指对多年生主枝或大结果枝组的短截。多对先端结果差的枝条施行，以加强后部结果能力，促枝条复壮。③疏枝：指对交叉枝、竞争枝、病虫枝、伤枝、纤弱枝及没有发展空间的各种枝条从基部剪掉的一种方法。④落头：指对主干在适当高度截去顶端若干长度，以控制株高、打开光路的剪法。⑤刻伤和环剥：为刺激主芽萌发成枝条，可在准备萌发成枝条的芽上方1～2cm处刻伤或环剥，可促使主芽萌发。

(2)夏季修剪。①枣头摘心：6～7月份在新生枣头尚未木质化时，保留3～4个二次枝，将顶梢剪去的一种方法。枣头摘心能促进枣头当年结果。②抹芽：在春季将没有发展空间的新生芽抹去，减少养分消耗。③疏枝：对没有发展空间和无用的新生枝及时疏除。④曲枝：对新发枝着生方位、角度不够理想者，趁绿枝柔嫩时向所需方位、角度、空间弯曲引导。

六、品种介绍

1. 金丝小枣

金丝小枣产于山东乐陵、庆云，北京密云及河北沧县、献县等地。树势中等，树冠开张，成年树常无刺。果小(5～9g)，果形变化大，果皮薄，鲜红色。9月下旬成熟，干枣含糖量为74%～80%，鲜食质脆，品质极上。耐贮运，耐碱力强，可在盐碱地栽培。

2. 灵宝圆枣

灵宝圆枣又称灵宝大枣，产于河南灵宝。树势强健，树姿直立或开张，枝粗壮，果实大，单果重 20g 左右，短圆形，深红色。9 月中旬成熟。抗旱抗涝，耐瘠薄。在山区表现良好。

3. 板枣

板枣又名扁枣，产于山西稷山一带。树势较强，树冠较大，发枝力强。果中大，单果重 9g 左右。深红色，核小肉厚，细密而脆，味极甜，品质上等。9 月中下旬成熟。干枣含糖量为 74%～80%，制干率为 45%～52%。抗寒、抗涝，抗旱。生长快，结果早，丰产稳产，寿命长。

4. 晋枣

晋枣又名吊枣，产于陕西彬县泾河两岸，为全国著名的优良品种之一。树体高大，树枝直立，枝条硬粗。果实长卵圆形，极大，单果重 40～50g，最大的达 60g。为现有枣品种中果实最大者。果实红褐色，皮薄，肉厚，核小，味甜，品质上等。9 月下旬成熟，鲜食、制干均可。不耐运输，干枣含糖量为 79%，制干率 44.1%。适应性强，寿命长，丰产，成熟期遇雨易裂果。

5. 长红枣

长红枣又名躺枣，山东分布很广，不论山区平原均有栽培。树势强健，果实圆柱形，大小不一，单果重 8～12g，果皮薄，核中大，肉松脆，品质中等。干枣含糖量为 75%～79%，制干率 45%～47%。抗逆性强，耐干旱，耐瘠薄，产量高而稳。

6. 无核枣

无核枣又名空心枣，产于山东乐陵及河北沧县等地。为我国名贵枣品种，驰名中外。树势中等，树冠开张，果实长圆形，果顶凹陷，重 4～5g。果皮红色，果实疏松，味甜。核退化为薄膜，9 月上中旬成熟。适于鲜食，品质极上，可称为珍品。对土壤适应性差，产量较低。

7. 柿花枣

柿花枣又名大荔柿蒂枣、柿顶枣。原产陕西大荔。树势强壮，发枝力低。果呈圆形，单果重 12g 左右。果皮厚，抗裂。果肉脆，汁少，味甜。大荔柿蒂枣是鲜食、制干的优良品种。

8. 胎里红枣

胎里红枣产于河南镇平。树冠圆头形，树姿开张，树势中等，干性强。果中大，单果重 9g 左右，最大的达 15 克。肉厚，质脆，汁多，香甜，无酸味。适应性强，抗病虫，耐干旱。从小到大一直呈红色，故名胎里红。

七、病虫害防治

1. 枣尺蠖

枣尺蠖属鳞翅目，尺蠖蛾科，又名枣步曲(见图 3-21)。在我国所有枣区均有发生。

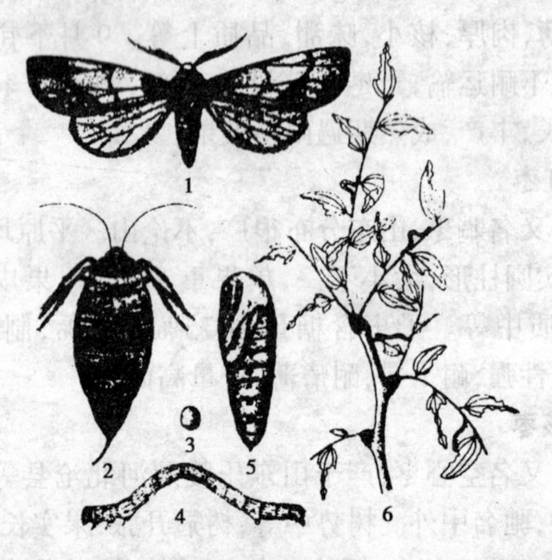

图 3-21　枣尺蠖

1. 雄蛾　2. 雌蛾　3. 卵　4. 幼虫　5. 蛹　6. 为害状

(1)为害特点:主要以幼虫为害枣树嫩芽、叶、花蕾,并能吐丝缠绕,阻碍芽、叶伸展,严重时可将树叶吃光,造成严重减产甚至绝收。

(2)特征:成虫雄蛾有两对翅,灰褐色,体长14mm,头小,喙退化,触角丝状。2龄幼虫深绿色,有7条白色横纹。蛹为纺锤形。

(3)生活习性:多数枣区1年发生1代,少数2年1代。以老熟幼虫吐丝坠地入土化蛹越冬,翌年3~4月份羽化。羽化后雄蛾爬到树上,在主枝背阴处停住。雌蛾则潜伏于表土内,到傍晚7~8时出土上树,晚8~10时是交尾高峰期,产卵期3~7天。一头雌虫可产卵800~1 200粒。成虫寿命7天左右,具有趋化性、假死性。雄蛾对雌蛾释放的性信息激素十分敏感,可逆风500m前往交尾。幼虫也具有假死性,受惊可吐丝下垂。

(4)防治方法:①深翻园土,消灭越冬虫蛹。②薄膜毒绳法:早春成虫羽化前,在树干中下部刮去老粗皮,绑宽20cm的扇形薄膜,用2.5%溴氰菊酯1 000倍液浸草绳,晾干后捆绑薄膜中部,将薄膜上方向下反卷成喇叭形,以阻止和杀死上树的雄蛾和雌蛾。③蜕皮激素的应用:用灭幼脲3号、杀蛉脲等抗蜕皮激素0.005%~0.01%防治,枣尺蠖死亡率可达90%以上。在枣尺蠖3龄以前,防治效果最好,老熟幼虫化蛹后,翌年绝大多数丧失羽化机能。④化学防治:在幼虫发生期,在树冠喷施下列药剂:20%杀灭菊酯2 000~3 000倍液,2.5%来福灵3 000~4 000倍液,50%甲胺磷800倍液,40%水胺硫磷1 000倍液。

2.枣粘虫

枣粘虫属鳞翅目,小卷叶蛾科(见图3-22),又名枣实蛾,包心虫等。

(1)为害特点:在枣区普遍发生,以幼虫为害枣芽叶、花和果实。展叶期幼虫吐丝缠缀花序,食害花蕾,咬断花柄。幼果期,幼虫蛀食幼果,造成大量落果。

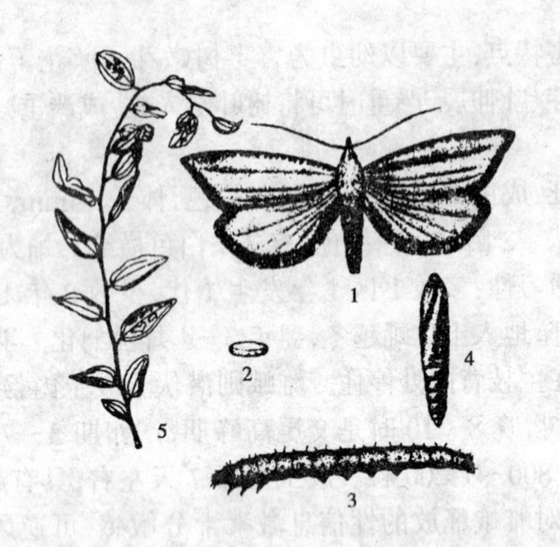

图 3-22 枣粘虫

1. 成虫 2. 卵 3. 幼虫 4. 蛹 5. 为害状

(2)形态特征:成虫黄褐色,体长 6~8mm,展翅 14mm。卵扁圆形,初为黄白色,后为黄绿色。老熟幼虫长 15mm 左右。蛹纺锤形,长 7mm 左右。羽化前暗褐色,尾端有 7~8 根长毛。

(3)生活习性:1 年发生 3 代,在浙江 1 年发生 4~5 代。以蛹在老翘皮下和缝隙中做茧过冬,来年 3 月下旬、4 月上旬成虫羽化,成虫羽化后 2~4 天交尾产卵,卵多产在枣枝上。一头雌虫可产卵 100 粒左右。成虫期 6~7 天,成虫具有趋光、趋化性,对性诱敏感。第一代幼虫期 23 天,发生在萌芽展叶期,吐丝缠住叶,吊取食嫩叶;第二代幼虫期 38 天,为害叶和幼果。第三代幼虫期 53 天,主要为害果实。将叶片和果实粘在一起,啃食果肉。

(4)防治方法:①加强冬季管理,刮树皮并集中烧毁,同时对树盘深翻,灭蛹灭虫。②在 9 月中旬以前,在树干上绑草把,诱集幼虫于其中化蛹,11 月份以后再将草把解下,集中烧毁。③诱杀:在成虫发生盛期,利用趋化性、趋光性,用灯光、糖醋液诱杀。④化学防治:在幼虫发生期,向树冠喷施 20% 杀灭菊酯 3 000~4 000 倍液加40%氧化乐果1 500倍液的混合液。或用40%水胺硫磷1 000倍液、75%辛硫磷3 000倍液、50%马拉硫磷800～1 000倍液、杀螟松1 200～2 000倍液，均可取得较好的效果。在枣树花期，为保护蜜蜂，防治粘虫，可喷施1%蓖麻油酸烟碱800倍液进行防治。

3. 枣锈病

(1)分布与为害：该病在我国各枣区均有发生，河南更为严重，被害植株叶子提前脱落，果实未熟先落，品质极差。

(2)症状：感病叶片初期出现无规则的淡绿色斑，进而呈灰褐色，受害果叶发黄，并纷纷脱落。

(3)病原菌及发病规律：该病原菌是栅锈菌科、层锈菌属。7月初零星发病，河南新郑枣区8月中旬进入发病高峰期，8月底开始落叶，9月上旬进入落叶落果高峰期。7～8月份连阴多雨，是该病发生的必备条件。

(4)防治方法：①加强冬季管理，清除残枝落叶集中烧掉。②在7月中旬及8月上旬各喷1次1∶2∶200倍量式波尔多液，或绿得保500～800倍液，或保果灵300～500倍液。轻病区喷一次即可。发病期喷粉锈宁800～1 000倍液。

4. 枣疯病

(1)分布与为害：该病在我国分布很广。枣树发病后，表现为生理紊乱，内源激素失调，叶片黄化，小枝丛生，果实畸形。春季萌发的根蘖，一出土即表现出丛枝状。

(2)症状：叶部症状有两类，一是小叶型，二是花叶型。花部症状表现为花柄伸长，变为小枝，花萼、花瓣、雄蕊成枝。顶端长出1～3个小叶片。果实表现畸形，果面不平，糖分低。

(3)病原菌及发病规律：病原菌是类菌质体。主要靠拟菱纹叶蝉等刺吸式口器昆虫传播。拟菱纹叶蝉多寄生在柏树上，7月间感传病株，个别枝的新枣头发病，少量芽发生丛生枝。全株同时发病的极少,从个别枝到全株发病需 3~4 年。一般生长在盐碱地的枣树,枣疯病为害轻。

(4)防治方法:①控制病菌传播,加强检疫,控制苗木外运。对轻病树,落叶前剪去病枝集中烧毁,萌发前进行环割,加强肥水管理以增强树势。有条件的地方用四环素注射或灌根。②加强管理,结合防治其他害虫,用内吸剂农药防治刺吸式口器害虫。③新发展枣树要栽不带病原菌的无毒苗木。

5. 枣煤污病

枣煤污病又称枣黑叶病。

(1)分布与为害:该病是昆虫引起的病害。全国各地均有不同程度的发生,主要为害叶片、果实和枝条。

(2)症状:枣树被害后,叶片、枝条、果上披满黑色霉菌,整个树冠全部黑色。枣介壳虫密度大时,无规律地集中到枣叶、枣吊和幼果上,排泄物粘在叶、枝、果上,引起霉菌寄生,首先出现小而圆的黑色煤点,最后叶、枝、果皆变成黑色。

(3)病原菌及发病规律:病原菌是子囊菌纲的真菌。主要借风力、昆虫、雨水和露水传播,进行重复侵染。煤污病菌在树枝上越冬,翌年 7 月份龟蜡蚧虫孵化时,病害开始侵染新生叶,7 月中旬至 8 月中旬为发病盛期。病害的发生与介壳虫密度、大气相对湿度成正相关。

(4)防治方法:适时防治介壳虫,减少传染源是防治该病的关键。枣树上一旦控制了介壳虫,枣煤污病也就不会发生了。

第九节　柿的栽培

一、经济意义

柿树是我国的主要栽培果树。柿的果实味甜、营养丰富。含有蛋白质、维生素、碳水化合物、钙、磷等多种营养元素。柿果除鲜食外还可加工成柿饼、柿干、柿酒、柿醋等。柿果加工品具有药用价值,可治胃病、止血、解酒毒、降血压等。柿霜可治喉痛、咽干及口疮等。

柿树抗旱、耐湿、产量高、寿命长、收益大、易管理,是广大群众喜欢种植的果树。它的原产地在我国,柿树的栽培已有近 3 000 年的历史。

二、主要种类和栽培品种

柿属于柿科、柿属。本属植物全世界约 250 种,我国分布 49 种。其中可作果树栽培或作砧木用的有 7 种:即柿、君迁子、油柿、浙江柿、山柿、毛柿、弗吉尼亚柿。我国柿品种很多,据不完全统计已达到 800 个以上。通常分为两大类:甜柿类和涩柿类。现将在生产上栽培的优良品种介绍如下。

1. 涩柿类

(1)大磨盘柿:又名平柿、盖柿、腰带柿、盒柿等。分布在北京、河北、河南、山东、山西等地。树冠圆头形,树姿开张。枝粗壮、稀疏。果实极大,平均重 250g,最大达 450g,10 月中、下旬成熟。适应性强、抗寒耐旱,抗柿疯病,圆斑病。

(2)博爱八月黄:主产河南博爱,树势强健、树姿开张、树冠圆头形,果实中等,平均重 137g,近扁方圆形,品质上等,10 月中旬成熟。适应性强,抗柿蒂虫能力较弱。

(3)镜面柿:又名二糙。产于山东菏泽,树姿开张,树冠圆头形。平均单果重 130g,果顶平,扁圆形。品质极上,10 月中下旬成熟。喜肥沃土壤,抗旱、耐涝,丰产稳产。

(4)荥阳水柿。主要在河南荥阳栽培。植株高大,树姿开张,呈自然半圆形,平均单果重 145g。果多为圆形,也有方圆形。品质上等,10 月中旬成熟。该品种适应性强,抗病能力强,极为丰产。

(5)桔蜜柿:又名旱柿、八月红。主产山西南部及陕西关中东部。树冠圆头形,枝细,平均单果重70~80g,10月上旬成熟。树势中等,寿命长,丰产稳产。抗寒、抗旱、抗病虫能力强。

(6)七月糙(早):又名树梢红。该品种在河南洛阳发现。树势中等,叶色浓绿,果大,平均单果重180g,最大230g。品质上等,8月中下旬成熟。该品种具有极早熟、丰产稳产的优良性状,但耐贮性差。

2. 甜柿类

(1)罗田甜柿:原产湖北罗田及麻城。树姿直立,树冠圆头形,枝条粗壮,新梢棕红色。叶大,深绿色。果个中等,平均单果重100g,品质中上等,10月上中旬成熟,鲜食、制饼均可。

(2)富有柿:原产日本岐阜,现在青岛、旅顺、大连、杭州均有栽培。树势强健、枝条粗壮。果实中大,平均单果重120g,10月下旬成熟。单性结实率低,需配授粉树。与君迁子嫁接不太亲和。

(3)次郎柿:次郎柿从日本引种,树势强壮,枝条粗大,果个大,平均单果重270g,果扁圆形,顶平,10月下旬成熟。产量较低,易裂果,抗炭疽病。

另外还有伊豆、西村早生等日本品种。

三、生物学特性

1. 生长结果习性

柿树是高大乔木,嫁接后5~6年开始结果,12年以后进入盛果期,经济寿命可达100年以上。

(1)生长习性:柿树的根系因砧木而异。根系大部分分布在30~40cm深的土层内,垂直根达3m以上。水平分布为冠幅的2~3倍。根系在一年中生长比地上部分开始晚。枝条可分为生长枝,结果枝、徒长枝和结果母枝4种。枝条生长以春季为主。成年树一般只抽生春梢，生长期1个月左右。幼树和长势很旺的树才能抽夏梢。柿树的芽分为花芽、叶芽和副芽3种。在枝条基部两侧各有一个鳞片覆盖的副芽，常不萌发而成为潜伏芽。幼树枝条直立，进入结果期后，大枝逐渐开张，随树龄增长，先端弯曲下垂，背上易发生更新枝，更新枝既可扩大树冠，又可经2～3年后结果。

(2)结果习性：柿树的花有雌花、雄花、完全花3种类型。雌花单生，一般着生在健壮枝条的叶腋间，不经受精、授粉可单性结实，但不产生种子。雄花簇生成序。完全花是两性花，结实率低，果个小。柿的花芽是混合芽，着生在发育充实的一年生枝顶端及顶芽以下的1～3个节上。着生混合芽的枝叫结果母枝，一般着生2～3个混合芽，长度为10～30cm。结果母枝的强弱是柿树增产的关键因素之一。春季由混合芽抽生的枝叫结果枝。通常在结果枝由下向上第3～7节叶腋间着生花蕾，开花结果。开花结果部位以上的一段新梢叫花前梢。

2.物候期

(1)根系生长期：在一年中，根系开始生长的时期比地上部分迟，一般在展叶期开始生长。

(2)萌芽期：不同地区气候不同，萌芽期也不同。同一地区品种不同，萌芽期也不同。萌芽需要的平均温度要达到12℃以上。北方地区，一般在3月下旬到4月中下旬萌芽。

(3)新梢生长期：新梢生长期指从展叶期开始到新梢生长停止，一般为15～30天。

(4)开花和果实生长期：在展叶后35天左右即可开花，花期长短因品种不同而有差异，一般在3～12天之间，大多数品种为一周。落花后幼果开始膨大，果实生长期大约150天。

(5)落花落果期：在开花前，有部分花蕾脱落；开花期(5月上中旬)有部分花脱落；幼果形成后又有落果现象，落果以花后2～4周较重。

(6)花芽分化期：据河南百泉农专观察，分化时期分别为：6月15日开始出现花原始体，7月15日进入萼片分化期。萼片分化以后，直到翌年3月份以前，花器的分化仍处于停止状态，3月12日分化花瓣，4月3日进入雄蕊分化期，4月16日分化雌蕊。

(7)果实成熟及落叶期：成熟期因品种不同差异较大。落叶期一般在10月下旬至11月上旬。落叶前，叶先变红，然后脱落。

3. 对环境条件的要求

(1)温度：柿树喜温暖气候，但也相当耐寒，在年平均温度11℃以上，最低温度不低于-20℃的地区均可栽培。甜柿生长期为4~11月份，平均温度需在17℃以上。成熟期在8~11月份，平均温度在18.5℃，果实品质优良。

(2)水：柿树喜欢湿润的气候条件，而耐旱力也很强。年降雨量400~1 500mm的地区都可栽培，在年降雨量500~700mm的地方，不行灌溉生长结果良好。

(3)光照：柿树喜光，同一株树，向阳面枝果多，色艳，品质好。

(4)土壤及酸碱度：柿树对土壤的适应性较强，不论山地、平地、沙滩地均可生长。但栽培上以土层深厚、肥沃、通透性好的沙壤土或黏壤土为最好。pH值在5~8范围内均可生长，以pH值6~7最宜。

四、栽培技术特点

1. 育苗

柿树多采用嫁接的方法繁殖。我国北方一般用君迁子作砧木，抗寒力强、根系发达、生长健壮、嫁接亲和力强、成活率高。我国南方一般用实生柿作砧木，它为深根性砧木，耐湿耐干旱，适于温暖多雨地区生长。嫁接可分为芽接和枝接两种。芽接一般在开花期前后，用头一年生枝基部未萌发的潜伏芽作接芽，成活后立即剪砧。另外还可在6~7月份，用当年生枝上充实的腋芽作接芽，来年春季剪砧。芽接常采用丁字形芽接,方块形芽接、套接等。枝接在春季砧木树液流动,芽已萌发而接穗尚未萌动时进行。北方各省多在清明节前后(3月下旬至4月上旬)进行,接穗最好事先沙藏。常用的方法有劈接、切接、腹接、皮下接等。

2. 土肥水管理

在土壤管理方面常采取保持水土、中耕除草、扩大树盘、合理间作、增施肥料、改良土壤结构、加大熟土层的厚度等方法。幼树期施肥应偏重氮肥,成年树应氮、磷、钾配合进行。基肥应于秋季果实采收前结合秋耕施入,以有机肥为主,大树每株100~200kg,幼树每株50~100kg。为促进花芽分化和果实发育,还应在开花前、新梢停止生长后以及果实速生期追肥。前期以氮肥为主,后期以磷钾为主。适时适量灌水对提高产量和品质、防止落花落果及促进花芽分化都有良好的作用。

3. 整形修剪

(1)整形修剪的原则:①因树修剪,随枝作形。②长远规划,全面考虑。③以轻为主,轻重结合。轻剪是对幼树,轻重结合适应成年树。④平衡树势,主从分明。⑤大枝少而匀,小枝多而不密。

(2)主要树形:①疏散分层形:一般干高1m左右。有中心干,主枝在中心干上分布3~4层。第一层主枝3~4个,第二层主枝2~3个,第三层主枝1~2个。树高4~6m,主枝层内距40~50cm,层间距60~70cm。主枝上着生侧枝,侧枝上着生结果枝组。后期树冠过高时,可分期落头,此树形适于密植柿园。②自然圆头形:干高1~1.5m,选留3~8个主枝约成40°角向上斜伸。各主枝上着生2~3个侧枝,在侧枝上培养结果枝组。

(3)冬季修剪:①幼树修剪:修剪的任务是培养好骨架,整好树形,选留好主侧枝,调整角度主从分明,平衡树势,培养更新枝组,促生结果母枝。栽后要适时定干,旺枝长到20~30cm时摘心,促发分枝。为早结果创造条件。②盛果期树修剪:柿树10年后进入盛果期。此时树体骨架已经形成，树势稳定，产量逐年上升。修剪任务是注意通风透光，培养内膛枝组，防止结果部位外移，要疏缩结合，保持树势，延长结果年限。对过多的大枝要分年疏除，改善光照。促使内膛小枝生长健壮，形成结果母枝。疏除细弱枝、枯死枝、病虫枝、过密枝、下垂枝及位置不合适的徒长枝。生长健壮的结果母枝，一般不短截，以免剪去花芽。强壮的结果母枝，侧生混合芽比较多时，为降低结果部位，可进行短截。过多的结果母枝，也可留基部2～3个芽短截，作为预留枝。及时更新修剪，是克服大小年和保持树势的关键。更新修剪的方法有两种：(a)单枝更新：对生长强壮的结果母枝，剪去上部花芽，留下部花芽，使发枝部位降低而且发枝健壮。剪口下的结果枝结果后剪除，下部未结果的枝条，即为第二年的结果母枝。(b)双枝更新：在同一基枝上，两个相邻的结果母枝中，选上部枝为结果枝，下部枝短截为预备枝，促使发出充实枝条，形成第二年的结果母枝。冬剪时，再将结过果的枝条剪去。③衰老期树修剪：随着小枝和侧枝的不断死亡，树冠内部逐渐光秃，骨干枝后部大量发出徒长枝，隔年结果现象严重。修剪任务是大枝重回缩，促发更新枝，复壮树势，尽量保持较高的产量。④放任树的修剪：对于大枝过多的分年疏除，树体过于高大的，分期落头；大枝先端下垂的，在弯曲部位回缩；小枝要疏弱留壮。

(4)夏季修剪：对徒长枝，一般留20cm摘心。弱枝摘心后，顶部易形成花芽；强枝摘心后，发出的二次枝仍可形成花芽，第二年结果。开花前后对幼树环状剥皮，可促进花芽形成，提早结果。对成年树可减少落花落果，提高产量和增进品质。环剥部位一般在大枝基部或主枝中下部，环剥宽度一般在0.5cm左右，要求当年伤口愈合。

4. 防止落花结果的措施

(1)加强土肥水管理：科学施肥浇水。秋季基肥要施足，果实膨大期按 10:3:4 追施氮、磷、钾肥。

(2)花期环剥:花期在主干或主枝上进行环剥,宽度以 0.5cm 为宜。环剥后肥水要跟上。

(3)夏剪:疏去过密枝、无效枝,在迎风面适当多留枝。

(4)花期喷赤霉素:在盛花期和幼果期各喷 1 次 0.05% 赤霉素加 1% 尿素,自上向下喷,使柿蒂和幼果充分接触药液。

(5)喷药:在 6 月上旬喷 50% 敌敌畏 1 000 倍液,消灭柿蒂虫。

五、病虫害防治

1. 柿炭疽病

柿炭疽病主要为害果实、枝梢及苗木枝干,果实受害变红、变软,提早落果。枝条发病,严重时折断枯死。

(1)症状:在果实上发病初期,出现深褐色或黑色斑点,病斑逐渐扩大,呈近圆形、凹陷,中部密生灰色至黑色小粒点,即分生孢子盘。当空气潮湿时,从上面分泌出粉红色黏液状分生孢子团。一个果上一般发生两个病斑,也有多达数十个的。病果提早脱落。新梢染病时,初为黑色小圆点,后扩大为褐色椭圆形病斑,中部凹陷纵裂并产生黑色小点粒,病斑长 10～20mm,新梢易从病部折断。当发病严重时,病部以上枝条枯死。

(2)发病规律:病菌主要以菌丝体在枝梢病斑内越冬,也可在病干果、叶痕及冬芽中越冬,翌年初夏生出分生孢子进行初次侵染。分生孢子经风雨传播,从伤口侵入时潜育期为 3～6 天;由表皮直接侵入时潜育期 6～10 天。一般年份,枝梢在 6 月上旬开始发病,雨季为发病盛期,后期秋梢继续染病。果实发病多从 6 月下旬至 7 月上旬开始,一直到采收期。发病严重的 7 月中下旬开始落果。病菌发育的最适温度为 25℃左右。

(3)防治方法:①清除病源:结合冬剪,剪除病枝和病果,清除果园中落果。生长季节连续剪除病枝,摘拾病果,烧毁或深埋,减少病源。②发芽前喷洒波美5度石硫合剂。6月上旬至7月喷洒1:5:400式波尔多液。8月中旬至10月上旬喷1:3:(240～320)式波尔多液,每隔半个月喷1次。65%代森锌可湿性粉剂500倍液。③当引入树苗时,应严格检查,淘汰病苗,并于定植前用1:4:80的波尔多液浸10分钟。

2. 柿白粉病

在河南发生普遍,往往引起秋季叶片提前脱落,削弱树势并降低产量。

(1)症状:春季在幼叶正面密生针头大小黑点,约0.3～1mm,春季不产生白粉,叶为淡紫褐色。秋季老叶上产生白粉,叶面生污白色霉斑,大约10～20mm,后期霉斑中产生黄色至深褐色小点粒。

(2)发病规律:以闭囊壳在落叶上越冬。翌年4月份柿树萌芽时落叶上的子囊孢子成熟释放,经气孔侵入幼叶,然后再产生分生孢子,进行多次侵染。

(3)防治方法:①冬季清除落叶烧毁,消灭越冬菌原。②在春季子囊孢子大量飞散之前,喷波美0.5度石硫合剂,并在6～7月间喷洒1:5:400式波尔多液进行防治。

3. 柿黑星病

柿黑星病为害叶、新梢、果实。

(1)症状:叶受害产生2～5mm的近圆形或多角形漆黑斑。中央略带灰色,周围有黄晕,反面有煤烟状霉层。果实多在蒂部发生,与叶部病斑相似,稍凹陷,易脱落,新梢上为病斑,呈梭形,易龟裂。

(2)发病规律:以菌丝在病梢上越冬。春季产生分生孢子,借雨水传播,潜育期7～10天。

(3)防治方法:①冬剪时将病梢、病果和落叶集中烧毁。②在芽膨大期喷洒波美5度石硫合剂,或在发芽后喷洒波美0.3度～

0.5 度石硫合剂，每隔 15 天喷 1 次，直到 6 月上旬。

4.柿蒂虫

柿蒂虫在柿产区均有分布。

(1)症状：幼虫在果实贴近柿蒂处为害，被蛀的柿子早期变软脱落。

(2)形态特征：雌蛾体长 7mm 左右，雄虫体长 5.5mm 左右，翅展 14～15mm。体翅有金属光泽，头部黄褐色，触角丝状。胸部中央黄褐色，静止时后足举起。幼虫初孵化时 0.9mm，头部褐色，胴部浅橙色。老熟时体长约 10mm。头部黄褐色，前胸背板及臀板暗褐色，背面暗紫色，前 3 节稍淡。

(3)发生规律及习性：1 年发生 2 代，以老熟幼虫在树皮下结茧过冬。在河南荥阳柿产区，越冬幼虫于 4 月中下旬化蛹，越冬代成虫，5 月上旬至 6 月上旬出现，盛期在 5 月中旬。卵于 5 月中旬至 6 月中旬出现。5 月下旬第一代幼虫开始害果，6 月下旬至 7 月上旬幼虫老熟。此代老熟幼虫一部分在被害果内，另一部分在树皮下结茧化蛹。第二代幼虫害果期为 8 月上旬到 9 月末，自 8 月下旬以后，幼虫陆续老熟越冬。第二代幼虫一般在柿蒂下为害果肉，被害果一般由绿变黄、变红、变软，大量脱落。在高温多雨天气，幼虫转果较多，为害严重。

(4)防治方法：①冬春刮除老翘树皮，消灭越冬幼虫，并结合涂白或刷胶泥，以防止残存的幼虫化蛹和羽化成虫。②于 6 月下旬至 7 月上旬，每隔 1 星期左右摘除和拾净病果 1 次，连续进行 3 次。③幼虫开始越冬前，于树干绑草把，清园时取回烧掉，以减少虫源。④药剂防治：5 月中旬和 7 月中旬，两代成虫盛期喷 90％敌百虫或 50％马拉硫磷、50％敌敌畏、40％乐果、50％杀螟松 1 000 倍液或菊酯类药 3 000 倍液，每代防治 1～2 次。

5.柿绵介壳虫

(1)分布及为害：柿绵介壳虫分布于河南、河北、山东、广西、陕西、安徽等地。它的若虫和成虫都为害柿树果实、嫩枝和叶片。受害严重的,果实早期变黄,软腐脱落。

(2)形态特征:雌成虫介壳长3mm,宽2mm,有白色绵状物构成,似毛毡状,上有稀疏的白色蜡毛。虫体椭圆形,紫红色,体背上有毛刺。雄成虫介壳椭圆形,长约1mm,宽约0.5mm;虫体紫红色,长1.2mm,翅污白色。卵椭圆形,胭脂红色,表面附有白色蜡粉及蜡丝,长0.3~0.4mm。越冬若虫,椭圆形,紫红色,形如刺猬,体长0.5mm。

(3)发生规律及习性:在河南每年发生4代,广西1年发生5~6代。以初龄幼虫在二年生以上的枝条皮层裂缝、干柿蒂以及树干的粗皮缝隙中越冬。翌年4月越冬幼虫开始活动,爬到嫩梢、叶柄、叶背为害,以后转移到柿蒂及果实表面等处为害。被害处呈黄色,并逐渐凹陷、木栓化,变成黑色。5月中下旬雌虫体背已形成白色卵囊,开始产卵。每雌虫产卵130~140粒,最多170粒,卵期20~21天,若虫孵出后,离开卵囊分散为害,据郑州果树研究所报道:第一代若虫6月中旬出现,第二代7月中旬,第三代8月中旬,第四代9月中下旬。各代发生不齐,互相交叉,但基本上是每月发生一代,前两代主要为害枝叶,后两代主要为害果实。10月中旬采收后,初龄若虫开始越冬。

(4)防治方法:①消灭越冬若虫是全年防治的关键。在柿树发芽前,喷波美5度石硫合剂或5%柴油乳剂,以消灭越冬若虫。②在4月上旬至5月初,当越冬若虫已离开越冬部位而又没形成蜡壳前,用40%乐果乳剂1 000倍液,或50%马拉硫磷1 000倍液或50%甲胺磷1 500倍液,都有很好的防治效果。③保护天敌:在柿绵介壳虫大量发生时,尽量少用或不用广谱性农药,以免杀害黑缘红瓢虫和红点唇瓢虫等天敌。④注意接穗质量:不引用带虫接穗,有虫的苗木要消毒后再用。

烟 草 篇

第四章 烟草栽培技术

第一节 概 述

一、烟草的种植及分布

烟草原产于南美洲。世界上栽培烟叶的历史非常悠久。在墨西哥的一座建于公元 432 年的庙宇内，有一幅展示玛雅人的教士在仪式中通过管状烟斗吸烟喷雾的浮雕。1492 年，西班牙航海家哥伦布探险发现新大陆时，看到当地的印地安人用玉米叶卷烟叶抽吸。随着航海业的发展和国际交往的增加，烟草逐渐传遍世界。据史书记载，烟草传入我国的时间在明代万历年间（公元 1573～1619 年）。当时传入的都是晒、晾烟。

二、烟草的物种及类型

在植物分类学中涉及到物种，它是植物分类的单位。烟草在植物分类中属于茄科烟草属。目前已发现这个属共有 67 个物种，大多数是野生种，人们没有栽培。有少数几个种因花冠色彩鲜艳，并有香气，被人们当作观赏植物栽培。只有两个种被人类作为嗜好性作物利用，一个是广泛栽培的普通种，另一个是集中在高纬度、比较寒冷地区的黄花烟草。按照烟叶品质特点、生物学特性及商品类型,一般分为烤烟、晒烟、晾烟,白肋烟、香料烟、雪茄烟和黄花烟等7个类型。

1. 烤烟

烤烟起源于美国的弗吉尼亚州。所以又称弗吉尼亚烟。具体方法,是把采收后的烟草装入特定的炕房内利用人工热力烘干。栽培中一般不宜施用过多的氮肥。性喜钾肥,适宜中等肥力的土壤。烤后烟叶中含糖量较高,蛋白质较低,烟碱适中。目前,我国以烤烟种植为主,种植范围遍及全国。

2. 晒烟

烟叶采收后利用太阳辐射热晒干。由于干燥后叶色不同,又有晒黄烟和晒红烟之分。前者烟叶外观特征和化学成分与烤烟接近,后者与烤烟差别很大。目前晒烟在我国各地都有种植,种植比较多的省份有广东、四川、湖南、浙江等。

3. 晾烟

烟叶采收以后,不是直接在太阳下晾,而是挂在室内或室外阴凉处缓慢干燥。烟叶的化学成分和晒烟近似,只是含糖量比晒烟稍低。晾烟在我国主要分布于广西、云南等省。

4. 白肋烟

白肋烟是1864年在美国俄亥俄州的一个农场发现的马里兰阔叶缺绿株变,后经过种植发展成为烟草新类型。烟叶调制也是采取晾干法,但品种质量特殊。栽培方法近似烤烟,氮肥需要量大,适宜肥沃地种植。白肋烟的烟碱含量比烤烟高,含糖低,组织疏松,香味浓,叶片较薄,弹性好,有很强的吸收能力。近年来河南也有种植。

5. 雪茄烟

雪茄烟加工的成品烟全部是用烟叶卷制而成。所用的原烟分为三小类:①芯叶烟,作内填充料,要求燃烧性好,香气浓。②内包皮,裹在填充烟外面,侧脉较细,韧性好。③外包皮,包在最外面的一层，要求叶片薄而宽，大小适中，光泽好，弹性拉力强。这三类烟叶是一株烟上长成的，一般下部作外包皮，中部叶作内包皮，上部叶作内填充料。雪茄烟在我国主要产地是四川、浙江、广东、广西等地。

6. 香料烟

原产于地中海沿岸，是普通烟草变异的特殊类型。主要分布于希腊、保加利亚、土耳其等地。我国浙江新昌在20世纪50年代首先引种。香料烟在普通烟草中叶片最小，只有15～20cm，每株30片左右，株高80～100cm。叶片浓香，特别是上部叶片香味最浓。

7. 黄花烟

耐寒性较强，在世界上的分布一般都集中栽培在生长季短而寒冷的地区。我国主要在东北、西北、内蒙古等地栽培。如黑龙江“蛤蟆烟”、新疆的“莫合烟”、兰州的“水烟”等都是很闻名的优良品种。

三、种植烟草的意义

烤烟是我国主要经济作物之一，产值高，贡献大。从全国来看，烟草的收入占财政总收入的10%左右。种植烟草，是提高财政收入、农民致富的重要途径。在外国，烟草也有“现金作物”之称。以美国为例，种烟面积占全国耕地面积的0.3%，有人曾将烟草与其他作物的亩产值进行比较，每亩烟草的收入比小麦、玉米、大豆、棉花等作物的平均价格要高出10倍左右。

第二节　烟草的生物学特征

一、形态特征

1. 根

烟草属于直根作物，分为主根、侧根和不定根三部分。大部分根系生长在35cm左右的土层内，最集中处是25～28cm。烟草根的主要功能是吸收水分和养分，合成、贮存、转运有机物质，支持地上部分等。

2. 茎

茎是由顶芽不断分生形成的，由节和节间组成。茎的生长表现为节间的加长和增粗，以及节数和叶片的增加。主要生理机能是导管和筛管运输水分和养分。叶片光合作用制造的营养物质往上送到新梢嫩叶，往下送到根部。

3. 叶

叶由顶芽或腋芽的生长点细胞分化而成。顶芽生长点细胞分化为叶原基，进而发育成叶子。烟草的叶是没有托叶的不完全叶，一般没有叶柄。烤烟叶片厚度一般为0.2～0.5mm，其颜色为绿色。叶片的形状主要是由遗传基因决定的。叶的主要机能是光合作用和蒸腾作用。叶片还具有吸收养分作用，利用这一功能可进行根外追肥。

4. 花、果实和种子

烟草的花是完全两性花。花基数5个，由5个萼片愈合而成，花萼绿色，钟形，有现蕾、花始期、花盛期、凋谢几个阶段。烟草的果实为蒴果，长圆形，上端稍尖。花开后一个月果实成熟。烟草的种子一般为黄褐色，圆形或长圆形，表面有不规则的、高低不平的花纹，由种皮、胚乳和胚三部分组成。

二、烟草的生长发育

烟草的一生包括营养生长和生殖生长两个部分。根、茎、叶的生长为营养生长，花、果实、种子的生长是生殖生长。烟草以采叶为目的，主要应促进营养生长，这样才能提高产量。烟草一生分为苗床和大田两个时期。苗床期是指从播种到移栽，一般为60天，大田期是指从烟苗移栽到采收完毕，一般为100～120天。

1. 苗床期的生长发育

(1)种子的萌发:烟草种子萌发开始的几个小时是种子吸水的物理过程,当种子含水量约占干种子重量的30%时,种子就膨胀,水分暂时停止进入种子。种子萌发的最适宜温度为25～28℃,低于7.5℃种子不发芽,高于35℃种子将丧失活力。变温条件就像催化剂一样,能使种子发芽快而整齐。

(2)幼苗生长:幼苗出土后先展开两片子叶,子叶呈椭圆形,叶脉不明显,后逐渐长出真叶。烟草出苗后到发第7片真叶之前的近一个月里生长比较缓慢。以后根系已经完整,生长速度加快。烟草幼苗生长的适宜温度是20～25℃,当幼苗叶片变绿以后,就开始用光合作用的产物供应自身的需要。因此需要良好的光合条件,随着幼苗的生长对氮、磷、钾的吸收量也逐步增多。当有9～10片真叶时,这时期吸收的氮素占苗期的68%、磷占76.5%、钾占76.7%。

2. 大田期的生长发育

(1)根的生长:幼苗移栽到大田后,3～5天就能恢复正常生长。若带大土坨栽培,及时浇水,就不停止生长。根系生长的最适温度为31℃,在1℃以下就被冻死,最适宜的水分状况是土壤持水量的60%～80%。

(2)茎叶的生长:移栽后的烟苗前期生长缓慢,栽后30天,茎才开始迅速生长。两个月后生长又变慢,到现蕾后第1朵花开放时,茎的生长达到最大值。移栽返苗以后,叶片生长加快,约每5天出现一片新叶,随温度的升高,以后每2～3天增加1片新叶。到栽后1个月,每1～2天增加1片新叶。当顶部出现花序时,叶片就不再增加。

(3)腋芽的发生:每个叶腋都能发生腋芽,腋芽萌发成为分枝。烟叶打顶以后要及时抹掉腋芽,以减少养分的消耗。

三、烟草对环境条件的要求

1. 温度

烟草是喜温作物。在大田里生长的烟草最适温度为25～28℃;高于35℃或低于16℃,生长将趋于停止,抗力下降;-2℃时,植物死亡。研究认为,烟草大田期大于等于8℃的有效积温为1 200～2 000℃,采、烤期大于等于8℃的有效积温为600～1 200℃,是生产优质烟的基本条件。

2. 水分

烟草耐旱怕涝,在适宜的土壤含水量条件下,才能培育出品质优良的烟叶。

3. 光照

烟草属喜光作物。在良好的光照条件下才能正常生长。光照过强或过弱都会影响烟叶的品质。烟草在大田生长期间,日照时数要达到500～700小时,日照率达40%以上,才能生产出品质优良的烟叶。

4. 土壤

烟草的适应性很强,只要不是盐碱地,各类土壤都能生长。但要生产优质烟就应选择土层深厚、质地疏松、通透性好、保水保肥的、呈微酸性的土壤。

另外,要注意在大风和冰雹频繁发生的地区不宜种烟。

第三节　烤烟育苗

一、育苗的意义和要求

1. 育苗的意义

烤烟是喜温作物,对外界环境很敏感。特别是幼苗十分娇嫩,必须在适宜的条件下才能苗壮成长。因此,育苗的意义就在于:第一,因烤烟种子小,1g 种子12 000～15 000粒,从萌发到幼苗形成,对环境条件的要求很严格,只有在小面积苗床上培育,才能做到精细管理。同时可以避免病虫害和自然灾害。第二,育苗可缩短大田栽培时期,解决前后矛盾,合理利用土地。第三,在间苗和移栽过程中,容易去杂劣,保证大田烟苗整齐一致。

2. 育苗的要求

育苗好坏是优质烤烟生产成败的关键。衡量育苗成功的标准可概括为:适时、苗足、苗齐、苗壮。

二、苗床地准备

1. 苗床地的选择和整理

烟芽及幼苗非常娇嫩,怕冷、怕旱又怕涝,且易感染病害。因此,苗床地应选择背风向阳、地势较高、地面平坦、土层深厚、肥沃的土壤。还要排灌方便,接近大田,便于运苗移栽。不能用菜园地,老苗床地。房前屋后以及离树阴太近的地块也不能做为苗床地,这些地方易产生病虫害。根据优质烤烟生产密度的要求,按每亩 1 300～1 500 株计算,再加预备苗,实际一亩大田需要备苗 1 600～1 800株。一个标准畦(长 10m,宽 1m)可育 2 200 株左右(苗距 6.6cm),剔除不合格的苗,能供 1 亩大田用苗。在生产上,为备足壮苗,通常苗床地面积约占大田面积的 5%～7%,即 15～20 亩烟田留一亩苗床地的土地。在作物收获以后及时清除秸秆,耕翻灭茬。在土壤上冻以前做好畦埂,深翻畦内土壤,以利冻垡熟化,积蓄雨雪,杀死病菌、虫卵及杂草种子,播种前再浅耕 1 次,随即耙耱平整,达到上虚下实。一般苗床标准畦宽 1m,长 10m,畦埂高 13～16.5cm,底宽 26～30cm,顶面宽 16～20cm,畦与畦之间留 35～40cm 的走道,烟畦两头设总灌水和排水沟。沟底面应低于畦面 3.5～6.5cm。人行道也应低于畦面 5～7cm。播前需灌 2 次水，即播前2～3天漫灌1次，水渗下后若发现畦面有凹陷处，用细粪土填平，播种当天再小灌1次水，待水渗下随即播种。

2. 苗床土壤消毒

苗床土壤消毒的目的是消灭土壤中的病毒、虫卵和杂草种子。消毒常用的药剂有福尔马林、氯化苦、溴化钾等。使用时要安全操作，以防中毒。

(1)福尔马林：40%福尔马林1份，兑水50份配成溶液洒在晒干的苗床上后用塑料薄膜覆盖。每升溶液消毒10～15m^2，间隔24小时再洒一次，一天后揭膜松土，通风7～10天即可播种。

(2)氯化苦：每平方米用氯化苦20～30g，均匀撒施或穴施畦面并盖以塑料薄膜，2～3天后揭膜散气，15～30天即可播种。

3. 苗床施肥

备好苗床肥料是培育壮苗的关键。苗床肥料要求很严，一是要达到充分腐熟，壮而不暴；二是要求纯净，即肥料沤制不能用烟叶碎屑、茄科和葫芦科残余物，以防病虫害。苗床肥料的沤制包括粗肥、饼肥和鸡粪的沤制。粗肥指的是牲口圈肥、厩肥，秸杆堆肥或由猪粪、人粪尿和土各1/3混合堆积而成。沤制方法是：头年夏天堆积，8～9月份将粪堆翻动1次，并以粪肥水或人粪尿调剂湿度，土与粪掺匀捣碎，再堆积用泥封住继续再沤。播种前捣碎过筛备用。这样经过夏季高温发酵的肥料达到黑、烂、臭，壮而不暴的标准。饼肥则在初冬发酵，使用前翻堆捣碎过筛备用。一般一个10m^2的标准畦，施粗肥150～200kg，饼肥2～3kg或粗肥150～200kg，复合肥2kg，并增施过磷酸钙1kg。施肥方法是：烟畦做好后，细锄、深锄2～3遍，耙平后施肥。根据每畦的用量，把腐熟好的肥铺在畦面上，先锄2遍，再深锄一遍，深度达到7～10cm。达到土肥均匀混合，然后耙平踏实。

4. 苗床洇底

洇底指的是苗床在施肥后、播种前要灌2～3次水，烟农称这是“双泗底”或“三泗底”。烟草种子很小，顶土能力弱，幼苗前期又不便浇水，为保持苗床湿润，要搞好泗底，浇足底墒水。泗底方法：在苗床浇足水，水下渗后，若畦面不平，等畦面发白时再整平。播种的当天再灌一次水，水渗下后立即播种。

三、种子处理与播种

1. 催芽前的种子处理

种子处理包括精选晒种、消毒、浸泡和搓洗工作。

(1)精选种子：催芽前清除种子中的杂物、淘汰秕子，是提高种子发芽率的有效方法。精选方法有两种：一是水选，即将种子倒入盛有净水的容器中，搅拌后浸泡1～2个小时，饱满种子下沉，捞去漂浮在水面上的杂物和秕子，剩下种子晾干备用；二是筛选，就是用孔径0.3mm和0.7mm两种规格的筛子，先用粗筛子漏下种子和粉末，去除筛子上较大的杂物，再用细筛子筛下粉末即可。

(2)种子消毒：种子消毒可以杀灭附在种皮上的各种病菌，起到防病保苗作用。通常用1%硫酸铜溶液或0.1%硝酸银溶液，或2%福尔马林溶液或0.001%的赤霉素溶液或萘乙酸，2 000倍的硼酸溶液。将种子装入纯净的布袋内，先在水中浸湿，然后捞出浸入上述任何一种药液中10～15分钟，取出后用清水冲洗干净，晾干保存或随即催芽。

(3)浸种洗种：烟草种子外皮有较厚的角质层和胶质层，浸种的目的在于使其软化，便于搓洗干净，以增强种子的透水性。方法是将消毒后的种子布袋放入40℃温水中浸20分钟左右，取出后放入凉水中浸泡24小时即可搓洗。洗种时在水中用手轻而均匀揉搓种子袋，边搓边用清水洗。直到袋内滴水清而不浊，种子变为淡黄色为止。然后甩去多余水分即可进行催芽。

(4)催芽：催芽就是人工控制温度、湿度等条件促使种子萌动长出幼芽。种子发芽最适宜的温度为25～28℃，水分是种子萌发的基本条件。风干的种子内水分含量为6%~7%,当吸水量达到65%~70%时开始萌发。水分适宜程度主要通过观察来掌握,以种子膨胀呈湿润状态而互相不粘结成团为宜,过分松散时要适当洒些水,并充分摇匀。氧气条件也很重要,处理好水分与氧气之间的关系,水分多氧气就少,所以水分掌握适宜,氧气才能充足。在温度、水分、氧气都适宜的情况下催芽经3~4天可露嘴,5~6天可催成。催芽方法有:

①温室催芽:在屋内墙角处建一个长、宽、高各2m的密闭小催芽室,室内修暗火道,升暗火加温,火道上方1m处搭木架2~3棚,架子上放催芽罐或催芽盆。盆内种子保持湿润松散状态,盆口用湿布盖上。室温保持在25~28℃之间,最高33℃,最低20℃。催芽过程中,要经常翻动催芽罐或盆,也可交换高温和低温区的催芽罐或盆,以防高温烧芽。要求一昼夜要摇动催芽罐或盆数次,使种子上下通气,受热均匀,在催芽的头几天内,可用温水冲洗种子两三次,以保证种子发芽一致。经过4~5天,种子就露出胚根,当胚根与种子等长时即可播种。

②温缸催芽(见图4-1):用一个干净大缸,缸内底部垫麦秸,厚约20cm,中央放一个盛热水的瓦盆,瓦盆上加一个透热的篦子,种子罐(或小瓦盆)放在篦子上,种子罐口用温毛巾盖好,盆内或篦子上放一支温度计。缸口用棉被盖严。每天换2~3次开水,保持温度26~28℃。种子罐每3~4小时摇动一次,使受热均匀,发芽一致。

③煤火灶催芽,如果催芽数量少,只供种烟户自己播种用,可将催芽罐(种子仍装在布袋内不必倒出)放在做饭的煤火灶台上,罐上用湿毛巾盖好,罐底不直接接触灶台,下面垫几片碎瓦片,以免罐底过热烧芽。要注意经常转动种罐和抖动种袋,保持种子内温度均匀。切忌油气伤芽,如果能专设一个小煤火灶催芽则更好。可用一蒸馍锅坐在煤火上,待锅内水温达到25~29℃时将火封住

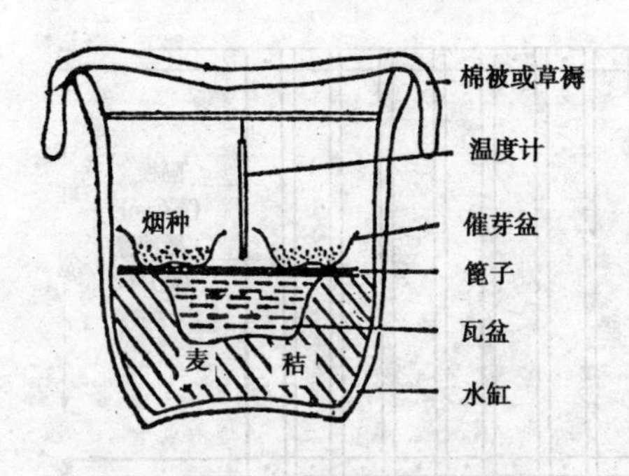

图 4-1　温缸催芽剖面示意图

并保持温度，再把催芽种子袋直接放在蒸格上，同时放一支温度计，锅内水温依靠炉火头大小来控制，但必须勤检查。

催芽应注意的事项：①催芽最好用新布袋、新瓦盆。②种子消毒和催芽所用的工具和水必须洁净，严防与油、酒、醋等接触。③催芽中要勤翻动种子，尽量使种子得到均匀一致的空气和水分，促进出芽整齐。④如种子发芽不整齐，可用筛子漏下短芽和种子继续催芽。⑤烟芽催成后若遇到坏天气，可将烟芽放在阴凉处并严格控制水分，待天晴再播。

2. 播种前的准备工作

(1)浇足底墒水。

(2)备足塑料薄膜：按长 10m、宽 1m 的标准畦要求，可用 1.66m 宽的农用薄膜，每畦约 3kg。

(3)薄膜支撑：固定材料的准备，撑膜弓子用竹条或细枝条，每畦 25 根左右。细粪土充分腐熟掺一半过筛细土，标准畦备 16～18kg。

(4)播种器：如果实行条播式点播，事先要准备好条播板。条播板可用宽 6cm，长 107cm 的薄板条或油毛毡条钉到木框上，条间距 1cm(见图 4-2)。点播板可用三合板或塑料等材料，按 6cm 的距离钻成直径 1cm 的圆孔(见图 4-3)。然后钉在木框上。

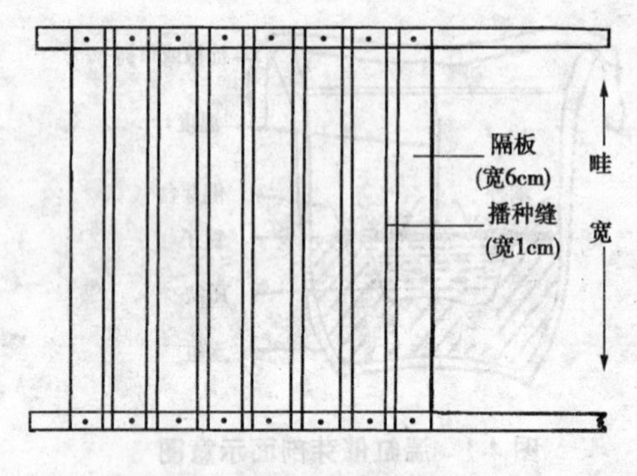

图 4-2　条播板

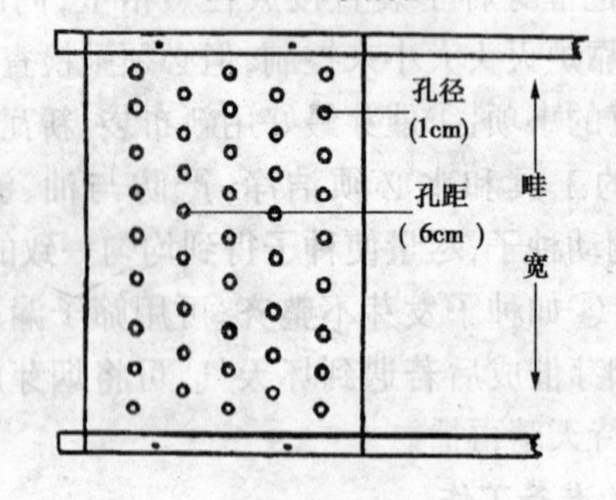

图 4-3　点播板

3．播种期

播种期主要根据当地适宜的移栽时期和育苗期长短来确定。栽培期是决定播种期的主要依据。河南移栽适宜期为 4 月下旬至 5 月上旬(即谷雨后至立夏前)。育苗期一般为 50～60 天。由此可推断出育苗播种期在 2 月下旬至 3 月上旬(雨水至惊蛰)为宜。

4．播种方法

播种应在无风晴天进行，同时注意播种均匀，盖肥厚薄适中，薄膜覆盖严密。

(1)撒播：每个标准畦用烟芽 3g(约火柴盒容量的 1/3)掺 1～1.5kg 细粪土(或细沙)，掺拌时要轻，以免损伤烟芽。撒播时手势斜向，轻握轻撒，为了撒播均匀，最好每畦重复撒 2～3 遍。

(2)条播：将条播板架在畦埂上，把掺好了细粪土的烟芽均匀地撒在条播板上，然后用扫帚横向轻轻扫入烟畦。

(3)点播：方法同条播。

条播和点播的优点是：间苗省工、起苗方便，条播较点播烟芽分布更均匀，间苗时不会损伤相邻的烟苗。无论采用哪种方法播种，播后均应立即在畦面上撒上肥土覆盖，每畦需 13～15kg 细粪土，厚度 3～4mm，不可超过 5mm。盖土后，要及时覆盖薄膜，晾畦时间长会使表土和盖肥水分蒸发过多，使烟草脱水影响出芽。因此，上午或下午播完的绝不能晾畦过午或过夜，覆盖前先从畦头起，每隔 50～60cm 插一根弓条，两端扎入畦埂成拱，拱高 40cm 左右。过低膜内空气层太薄，易受外界影响；过高易招风。弓条插完即在拱顶绑三根粗麻绳，并在每个弓条上转一圈拉紧，使整个拱架连接在一起，以增加支撑力。然后覆盖薄膜并在其四周用土压紧，再使用麻绳将其固定在小木桩上(见图 4-4)。

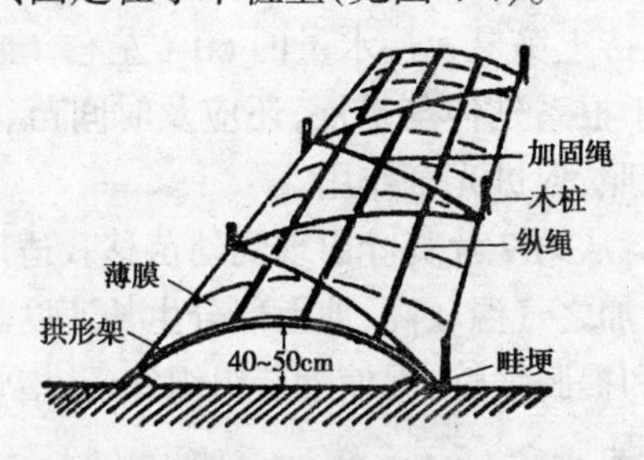

图 4-4　烟畦覆盖塑料薄膜示意图

四、苗床管理

1. 烟苗不同生育期的特点与条件要求

从播种到移栽这一段称为苗床期，这一段又分为出苗期、十字叶期、生根期、成苗期 4 个时期。

(1)出苗期:从播种到幼苗叶子展平、第1片真叶初生为出苗期。这个时期苗床管理的重点是保温保湿,对出苗和幼苗生长最适宜的温度是25～28℃,最适宜的湿度是保持土壤最大持水量的80%～90%。因此,播前必须做到"双泗底"。

(2)十字期:从出地面到第3片真叶初生时,第1、2片真叶大小与子叶相仿,并与子叶交叉成十字形,故称十字期。这一期幼苗已完全进入自养阶段,主要合成功能是子叶。这时幼苗光合能力还弱,生长缓慢,对环境敏感,抗逆性差,短期干旱也会引起死亡。所以,此期仍要求充足的水分条件,如果苗床表土发白,即应喷水,切忌大漫灌。

(3)生根期:从第3片真叶出现到第7片真叶出生这一时期为生根期。幼苗地上部分生长逐渐加快,但根系的生长速度超过地上部分,因生长中心在地下部分,故称为生根期。这一时期,子叶已丧失功能,第3、4、5片真叶合成功能最大,根系生长活跃,幼苗已基本形成完整的根系。这期管理措施上以促根系生长为主,控制苗床水分,保持土壤最大持水量的60%左右,畦面"黄墒"为好。间歇干旱有利于根系延伸与扩展,还应及时间苗、定苗,晴天要揭膜晒苗,增加光照,促进光合作用。

(4)成苗期:从第7片真叶出现到幼苗移栽适期。此时烟苗根系已相当发达,加之气温较高,地上部分生长速度较快,因此,管理的重点是断水和揭膜锻炼,促使烟苗组织致密,增强适应性。

2. 苗床管理

(1)薄膜管理:春季播种后气温较低,常有冷风侵袭,从播后到幼苗十字期薄膜基本保持密封状态,以利保温保湿,为幼苗生长提供适宜的环境条件。每天从上午9时应用竹条或细烟竿轻敲薄膜,震落水珠。十字期后气温渐高,如畦温达到30℃时,要将薄膜两头和中间支撑通风,调节畦内温度。通风降温时间,晴天一般在上午9～10时开始,至下午4～5时关闭,阴雨天不必通风。初次揭膜应在上午 8～9 时揭开，到中午 11 时至下午 2 时仍要覆盖，但进行两头通风，2 时以后再全部揭开，傍晚盖严。以避免强光灼伤叶片，经 2～3 天间断光照后，烟苗即能适应强光照射。

(2)苗期供水：在十字期幼苗体小，耗水量不大，但根系不健全，抗旱力差，缺水会引起幼苗死亡。应及时适量供水，可结合第一次间苗喷洒水，保持苗床湿润。生根期应适当控制水分，此期以保持"黄墒"为宜。一般第二次间苗或定苗时适当供水，成苗期地上部分生长加快，耗水量较多，应有适当水分补充。但还要加强耐旱力锻炼，移栽前 10 天进行断水锻炼。

(3)间苗、定苗：间苗有利于通风透光，有利于茎秆粗壮，促使幼苗整齐一致。一般间苗 3 次，第一次在十字期，苗距 2cm 左右，第二次苗距保持 3～4cm，第三次间苗即定苗，苗距 6.6cm，间苗工具多用竹签或粗铁丝制成夹子。间苗要结合拔草，剔除的烟苗和杂草应全部集中埋掉，保持苗床清洁卫生，减少病虫害。

(4)苗床追肥：要尽可能做到一次施足底肥，苗期不再追肥。如果底肥不足或中后期叶片发黄有缺肥症状，可在 4～5 片真叶时，追一次三元复合肥为好。每个标准畦 0.2kg。把捣碎的复合肥溶于水中喷施。但必须做到边喷肥边喷洒清水冲洗叶片，避免肥害。

(5)病虫害防治：苗期病害主要有炭疽病和猝倒病，一般苗稠最易发生，除选用抗病品种、种子消毒外，应及时喷洒波尔多液。一般防 3 次，第一次在 3～4 片真叶时喷洒。以后每隔一周一次，开始浓度为 1∶1∶200(硫酸铜∶生石灰∶水)，以后用 1∶1∶100，也可用代森锌 500～600 倍液或退菌特 800 倍液喷洒。苗床虫害主要有蝼蛄，可用 500g 敌百虫拌炒香的豆饼或芝麻饼，在畦埂内侧开浅沟撒入毒饼并随即拍土封好，在蝼蛄钻的隧道口也撒一些，即可杀死蝼蛄。

移栽前一天可用 800 倍退菌特和敌百虫混合喷洒烟苗，可减少病虫带入烟田。

3. 不正常烟苗形成的原因及补救措施

(1)烟叶发黄:水分过多引起的发黄,可支起薄膜两头通风或揭膜晒苗;旱黄应及时供水;冷黄应加强薄膜管理,夜间覆盖严密;肥黄是因缺肥或施肥过多引起,缺肥者应及时追肥,肥过多者可用灌水缓解肥害;捂黄者可延长晒苗时间。

(2)高温烧苗:要揭膜或支起薄膜通风换气。

(3)太阳灼伤:苗床在长时间封闭状态下,如晴天猛然揭开,则幼苗经不起太阳直射,叶面上常出现白色斑点或斑块,影响叶片功能。因此,揭膜应当把握循序渐进的原则。

(4)药害:因用药浓度过大,造成叶片扭曲或局部变白等。发生药害应立即用清水冲洗烟苗,并降温保湿,减少蒸发。

(5)冻害:苗床温度降到0℃以下时叶片就受冻害,叶面高低不平,叶边卷曲,水渍状部分皱缩变成暗褐色而干枯。防治方法是寒流来到之前及时盖好薄膜,保持适宜的温度。

五、几种主要育苗方法

1. 营养袋育苗

用旧报纸或书纸,裁成长23cm、宽8cm的纸条,两端粘叠2cm,制成直径7cm、周长21cm的杯形袋。把烟畦整平。配制营养土,营养土由大田耕层肥土、腐熟的有机肥和复合肥配制而成。一般要求大田耕层肥土70%左右,腐熟有机肥30%,1标准畦兑入2kg复合肥。营养袋摆放到苗床后,袋与袋之间的空隙用细沙填满,每袋徒手点播烟芽2~3粒,以后间成单苗。覆盖和管理大体上同普通薄膜育苗。

2. 沙铺底切块育苗

沙铺底干切块育苗先挖出畦内10cm深的表土,然后畦底铲平,铺上3cm厚的细沙或炉渣,再将挖出的表土,掺入腐熟肥

250kg 和 90% 敌百虫溶液 25kg 填入畦内。最后将土块打碎反复浅锄 4～5 遍,把床面充分整平,泅水踏实后播种。当烟苗有 4 片真叶时,用铲刀将床面切成深 5cm、长宽各 6cm 的方块。每块中心有壮苗一株。沙铺底干切块育苗移栽时,起干块带土多,栽后不板结,成活率高。

另外,还有假植育苗,包衣种子育苗,营养钵假植育苗等。

第四节　烟草大田管理技术

一、烟草的种植制度

1. 轮作

烤烟是忌连作的,应该采取轮作种植方式。轮作是在一定的土地上和年限内,按照一定的顺序逐年轮换种植不同的作物。轮作可以改进土壤结构,预防病虫害。通过轮作可以有效地预防黑胫病、青枯病、花叶病等多种危险病害。轮作方式采用二年三熟轮作制:(第一年)春烟—油菜或冬小麦⟶(第二年)甘薯—冬闲⟶(第三年)春烟;三年五熟轮作制:(第一年)春烟—小麦⟶(第二年)红薯或大豆—小麦⟶(第三年)红薯—冬闲⟶(第四年)春烟。

2. 间作

间作是指在同一块田地上,同时种植两种或两种以上生长期相近或略有先后的作物。如烟草与甘薯间作,烟草与花生间作等,烟叶生产若遇自然灾害,间作可作为一项弥补措施。

3. 套种

套种是指在同一块田地上,在前茬作物生长期间,把另一种生长季节不同的作物种在前茬作物的行间,前茬作物收获后,套种的作物继续生长。在河南省,麦烟套种的比重就很大。麦烟套种对防治烟草花叶病是一种有效措施。

麦烟套种的型式见图 4-5。

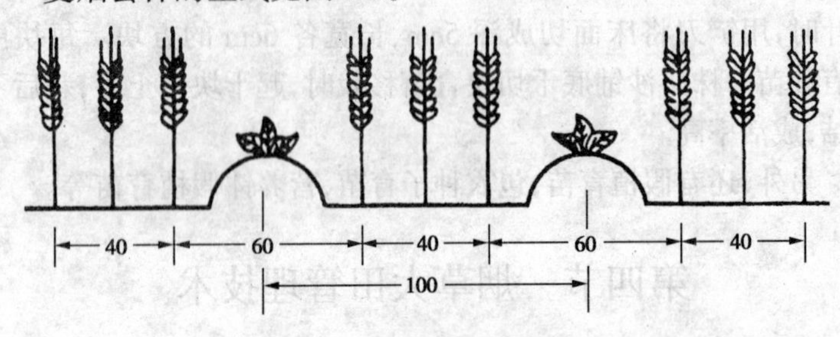

图 4-5　麦烟套种(单位:cm)

注　烟行距根据地力和小麦播幅等情况可为 100～110cm

二、烟田耕作

烟田耕作指烟叶移栽前的整地和起垄。内容包括秋耕、冬耕、春耕、耙耱等。

1. 整地

河南烟区一般要进行秋耕灭茬、冬季深耕、早春耕等整地程序。

(1)秋耕:指作物收获后,趁墒耕地,耕翻灭茬,耕后即耙。秋耕有利于有机质分解和保墒。

(2)冬耕:冬耕在大冻前进行,因耕翻深,又称深耕。深耕的好处:一是改良土壤结构,提高通透性;二是结合施肥,有利于提高土壤肥力;三是减少病害和杂草;四是有利于根系生长。

(3)春耕:在冬耕的基础上进行的耕作。春耕宜浅不宜深。

(4)耙耱:耕后耙地可使土块变碎,田地平整、土壤疏松有利于保墒。

2. 起垄

烟田起垄能增加活土层,改善土壤养分状况;增加受光面,有利于提高地温;便于排水,减少病害发生。在起垄时间上可结合春耕进行。方法是先筑 50cm 宽的小垄,将粪肥撒入沟中,隔一垄施一垄肥,然后将垄台合成高为 15～18cm、宽 100cm 的大垄。压磨一遍待栽。据调查,垄栽比平栽烟叶增产 10%。

三、地膜覆盖栽培

1. 地膜覆盖的效果

(1)可以提高地温,4～5 月份测定平均增温幅度为 2.7～7.2℃。

(2)保持土壤疏松,盖膜可防止雨水直接淋洗根际土壤,能使土壤变得疏松。

(3)提高土壤的保水能力,因为蒸发的水分变成水珠又从膜上落到土壤中去。

(4)能提高土壤肥力。

(5)提高下部叶的质量。

(6)防治病虫害。

2. 覆盖方法

地膜厚度为 0.15～0.02mm,较经济适用。一是地膜覆盖后栽烟,起垄后,在栽前半个月把垄上的土打碎,趁墒盖膜。顺洞口浇水,栽烟,并取湿土压烟根和洞口。二是先栽烟后覆盖,一行栽完随即盖膜,破膜掏苗。

3. 栽植密度

栽植密度要根据品种特性、自然条件、烟草类型确定。在河南平原地区栽植密度一般为每亩 1 100～1 200 株,山地 1 400 株。

4. 移栽技术

起苗时连根带土挖起,使根部土块达到 $6cm^2$。起苗后根部向内,按顺序放在车子上或篮子里,烟苗不能重叠。烟苗栽前,先在烟垄上定点挖穴,然后移栽。

四、烟草大田生育期的特点和管理措施

烤烟从移栽到成熟、采收结束，一般为105～130天。这段时间可分为缓苗、伸根、旺长、成熟4个生育期。

1. 缓苗期

从移栽到成活称缓苗期。这一期通常需5～7天。这一期的管理重点是：查苗补苗，加强地下害虫防治，中耕除草。

2. 伸根期

从缓苗到团棵为伸根期。一般需25～30天时间。伸根期的主要管理措施是：①控水蹲苗，宜保持田间持水量的65%左右。②深中耕培土。③追肥。

3. 旺长期

从团棵到现蕾为旺长期。这个时间大约一个月。在管理上：①要及时灌水，保持田间持水量的80%为宜。②严格控制追肥，保证适时落黄。应以水调肥，促进旺长。③及时防病治虫，蚜虫、烟青虫、花叶病、黑胫病要适时防治。

4. 成熟期

从现蕾到收获为成熟期。一般需50～60天。管理上主要措施：①及时打顶抹杈。②控制水分保持半旱墒，宜保持田间持水量的60%左右，雨后及时排水。③把握成熟度，适时采收。④继续防治烟青虫、蚜虫和病害。

五、大田保苗措施

1. 防治地下害虫

虫害严重的地方，缺苗率高达25%～35%，主要是金针虫和蝼蛄为害。防治方法是，用90%敌百虫500倍液浇根防治。

2. 查苗补栽

加强弱苗管理，栽后每天都要查苗，及时补栽。要补大苗、壮

苗，多带土、多浇水。发现弱苗要挖去补上壮苗，对较小的则施“偏心肥”，促其加快生长。

六、中耕与培土

1. 中耕

中耕可以疏松土壤，提高地温，增进地力。中耕还能够抗旱保墒，调节水分。消灭杂草，减少病虫害。中耕后土壤疏松有利于根系生长。土壤含水量过大时，中耕还可以晾墒。烟田中耕要本着“头遍浅、二遍深、三遍四遍不伤根”的原则进行。

2. 培土

培土可以增生新根，扩大吸收营养面积，提高烟草的抗性。培土形成垄沟，有利于排水、灌溉。培土有两种方法，一是结合中耕进行，二是结合深中耕一次性培土。无论哪种方法都要适时，要在团棵以前进行。培土形成的垄要达到 30cm 的高度，垄要培得宽且平直。

七、烟田灌溉与排水

1. 烟田合理灌溉

烤烟与其他作物一样需要灌水，俗话说，“肥是劲，水是命。”水分是烟株的主要组成部分，约占株重的 80%，灌溉要按照土壤的水分状况及各生育期的需水特点进行。缓苗期烟株小，在干旱缺墒情况下，采取穴浇方式供水，伸根期，以保持田间持水量的 65% 为宜。干旱时适当供水，但不可浇大水。旺长期需水量大，土壤应保持田间持水量的 80%。群众的经验是“土壤轻握成团，掉地不散”。成熟期需水量比旺长期减少，保持田间持水量的 60% 为宜。

灌水方法有穴灌、沟灌、喷灌、滴灌和渗灌。要结合实际，采用符合实际情况的灌溉方法。

2. 烟田排水

若烟田水分过多，容易发生病害。如果受涝严重，造成缺氧呼吸，会引起植株死亡。雨季积水要及时排出。

八、打顶抹杈

1. 打顶

当烟草生长后期出现花蕾时就及时摘除，称为打顶。打顶的作用是：第一，可以中断养分向花、果实、种子运输，大大减少消耗。从而促使叶片发育，提高品质。第二，打顶抑制了顶端优势，促进了根系的增长。使烟碱含量增多，香味增浓。

2. 抹杈

打顶之后，腋芽（即烟杈）即由上而下，迅速萌发生长，如不及时抹去腋芽和烟杈，就会大量消耗叶片中的养分和水分，对产量品质影响很大。因此打顶后要及时抹杈。群众经验是打鸡嘴杈，即在杈长到3.3cm时就打掉，此时养分消耗不多。操作也较方便。一般一个叶腋只能发3次杈，所以头遍打掉后每隔一周抹一次，连续进行3次就可得到彻底控制。

九、防止早花、底烘和返青

1. 早花

早花是指烟株在没有达到正常生长时所表现的高度和叶数，就提前现蕾开花的现象。早花的烟草，植株矮小、叶片变窄变小、产量低、品质差。

引起早花的原因：①低温少日照。②品种特性。③天气干旱，特别是旺长期遇"握脖旱"。④土壤肥力差。⑤苗床管理不善，形成高腿苗、老弱苗，移栽后提前木质化，形成早花现象。

(2)防止早花的方法：选择抗逆性强的品种。栽壮苗及时浇水，合理施肥。若出现早花要及时打顶，培养杈烟。

2. 底烘

底烘是指烟株下部叶片尚未达到正常成熟时就发黄,进而枯死的现象。

(1)造成底烘的原因是:①密度过大,田间郁闭,光照不足。②土壤干旱。③雨水过多,土壤积水。

(2)防止"底烘"的办法:①合理密植,改善通风透光条件。②合理施肥,适时灌水。③及时排除积水。④加强防病治虫。

3. 返青

返青是指烟叶进入成熟期,有一定程度的落黄而再次变青的现象。原因是氮素过多、光照不足。防止返青的有效方法是合理施肥。对已返青的可用浓度为0.05%~0.07%的乙烯利药喷雾,促使烟叶成熟落黄。

第五节 烟叶的采收与烘烤

一、烟叶的成熟与采收

烟叶的采收是烤烟生产中的重要环节。充分成熟的烟叶,叶内干物质含量高,含水分少且烟叶内水分容易排出,烤出的烟叶颜色全黄,油分多,香气好,上等烟多,质量高。

1. 烟叶成熟的特征

第一,叶色由绿变黄,俗称落黄。叶尖叶边落黄明显。

第二,叶面茸毛脱落,叶尖、叶边下垂。

第三,主脉发白发亮,中上部支脉发白发亮。

第四,叶面起皱,中上部或较厚的叶片出现黄斑,上部叶片黄斑发白。

2. 烟叶采收

烟叶在烟株上着生部位自下而上的5个部位分别称为脚叶、

下二棚、腰叶、上二棚、顶叶(见图 4-6)。

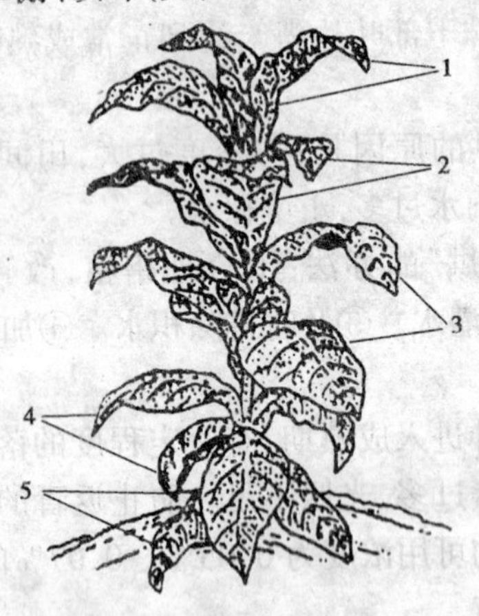

图 4-6 烟株上各部位叶片

1. 顶叶 2. 上二棚 3. 腰叶 4. 下二棚 5. 脚叶

通常在移栽后 45～60 天后,烟叶在植株上自下而上逐片成熟。脚叶和顶叶的成熟相差 60 天左右,所以烟叶收获是分期分批逐片采收。正确把握每片的成熟度进行适时采收,有利于提高烤烟品质。从叶龄上看,下部烟叶达到成熟的叶龄为 60～70 天,中部烟为 70～80 天,上部烟为 80～90 天。在正常气候条件下,第一次开采应在打顶后 10 天,第二次应在第一次采后 10～15 天,以后每隔 7～10 天采一次。采摘方法是用食指托住叶柄基部,大拇指放在叶柄上捏紧,手稍向下压,便可摘下烟片。采摘中切勿单纯下压扯拉,以防撕破茎皮,影响正常生长。

近年来,广大烟农在准确把握成熟采收的实践中,积累了丰富的经验,一是脚叶要提前到烟叶的生理成熟采收,因烟叶养分要上移,待变黄再采收,烤后叶片发白,质量差。二是中部烟叶进入工艺成熟后,一般推迟一周采收。三是要等到靠顶部 5～6 片叶的最上部一片成熟后一次采收。保持 5～6 片叶能够维持整株的正常生长。

二、烤房的建造

烤房是烟叶生产的固定设备，直接并长期影响烟叶的烘烤操作和烤烟质量。因此烤房应具备升温灵敏，保温稳定、排湿顺畅、保湿良好，操作方便。在结构上力求保温、坚固耐用，便于操作。

1. 烤房结构

烤房结构主要包括房屋结构、供热系统、通风排湿系统和炕内设施几个部分组成。当前河南省一般采用的是400竿和200竿中小炕房。400竿烤房内长、宽各4m。200竿烤房内长、宽各为2.7m。其高度为6m(地面到房顶)。每亩烟田一般产150～175kg烟叶，每次采收烟叶约40～50竿。由此推算，装烟400竿(竿长1.5m)左右的烤房可满足一亩烟田烤烟的需要。

(1)房屋结构：①墙壁：应具有保温保湿、密封隔水、坚固耐用的特点。砖墙厚度不能小于38cm；麦草垛墙，砖坯结构不能小于50cm，施工时应满浆满缝。烤房内墙壁应粉平抹严。②房顶：房顶必须能够防雨、保温，坚固耐用。起脊的房顶要先在房顶上钉上椽子，铺上箔，抹上5cm厚的麦草泥，再铺上15～20cm麦秆或麦秸，最后再抹上一层白灰泥，或在草上抹泥，盖瓦。由于草泥导热率小，所以保温性能良好。

(2)门：位置以避风为宜。一般门口温度低，靠门口的3～5竿烤不好，干得慢烧煤多。把门开在火龙分火岔处的墙上，分火岔处温度高，可以使门口的烟叶提高质量，同时纠正门口温度低的缺点，而且进出炕方便，通常门高1.4～1.5m，宽60～70cm，门帘用双层草帘中间夹一层牛皮纸或塑料薄膜，以利保温。

(3)观察窗：观察窗一般设3个。安全观察窗设在火炉上方，高20～25cm，宽40cm左右，温度观察窗设在第一棚和第二棚之间。高35cm，宽30cm，烟叶变化观察窗设在第五棚，高25cm、宽30～35cm。观察窗应当内镶玻璃，外设木门，以利保温。

(4)挂烟设备:通常称为挂烟梁。一般用直径 10～12cm 的圆木插入并固定在与烤房山墙平行的前后墙的位置上。大多数烤房挂烟 5～6 层,每层为 1 棚,棚距 70cm 左右,平面距离为 130～160cm,底棚距地面 180～200cm。

屋脊长天窗烤房外形见图 4-7。

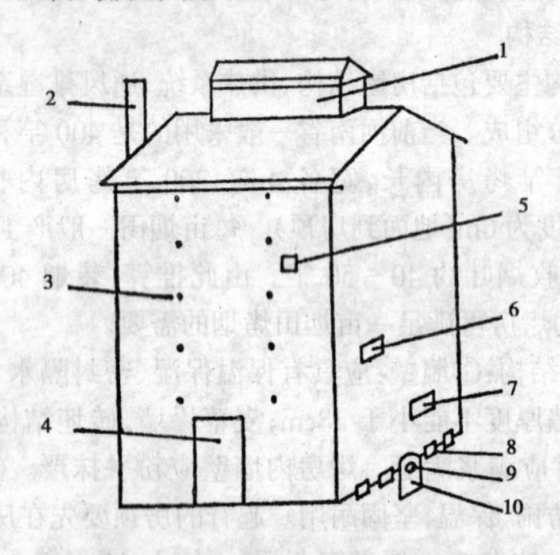

图 4-7 屋脊长天窗烤房外形

1. 天窗 2. 烟囱 3. 桁 4. 炕门 5. 烟叶观察窗 6. 温度观察窗 7. 安全观察窗 8. 地洞 9. 火炉口 10. 烧火炕

2. 供热系统

炕烟是一个热消耗过程,因此供热系统是烤房的重要组成部分。主要包括炉膛、火龙和烟囱。

(1)炉膛:烧火的地方,又叫火炉或主火龙。炉膛在炕房内呈腰鼓形(中间大两头小),设在烤房山墙的正中间。炉膛长度根据炕房大小而定,一般为 100～105cm。400 竿的炕房,炉膛两头高宽各 40cm,中间高宽 40～45cm。200 竿的炕房,炉膛宽、高各 40cm。炉膛底部铺炉条 8～10 根,炉条长 80～100cm。实践证明,过去 100cm 的炉条尾部 20～25cm 处煤炭燃烧不完全,炉膛宽幅 40cm,炉条间隔 3.5cm,炉条前端安放应与火门处的地平面相平或低 5～7cm。为使炉膛深部充分燃烧,炉条末端可设五根横炉条。炉条前端与烤房内地面平,炉条末端低于地平面 13～16cm,呈一坡度,以利空气进入炉膛,烧火旺。炉膛壁厚 10cm。火门大小,应以保证加煤方便为好,一般高度为 25cm,宽 20cm。灰坑在炉条下面,上窄下宽,深 80～100cm,供通风、下渣、贮渣之用。

(2)火管:又叫火龙,包括二龙和支龙,它是传递热量的通道。火龙的材料主要是土坯管和陶瓦管。土坯规格:200 竿烤房为 28cm×33cm,400 竿烤房为 30cm×40cm。土坯围成的方形火龙,各段厚度不一样,主管火龙厚 5～6cm,分叉火龙厚 3cm。火龙接口处内部要光滑,不拐死角,烟气畅通无阻。分火要早,缩小高温区,走火平稳。400 竿烤房多采用内翻下扎 5 条龙,小烤房多采用明三暗五龙。

(3)烟囱:烟囱是拔气抽风的动力来源,高度一般超过烤房顶 50cm。中小型烤房的烟囱,下部 2m 左右内径为 35cm×35cm,中部内径为 25cm×25cm,上部内径为 18cm×18cm。烟囱下部距地面 80cm 左右开一个引火口,用以引火和消除烟灰。建筑烟囱必须满灰满缝并粉平抹严,不能漏气,烟囱基部还要设积灰坑,火闸。

400 竿烤房火龙纵剖面图见图 4-8。

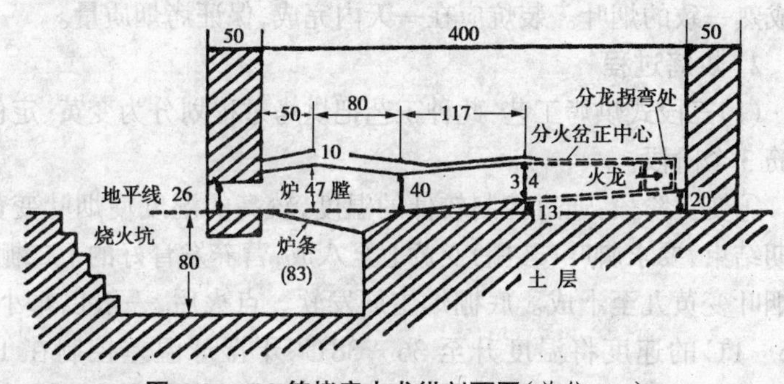

图 4-8　400 竿烤房火龙纵剖面图(单位:cm)

3. 通风排湿系统

包括天窗和进风洞。它们的作用是排出烘烤过程中烟叶内所含的大量水分。

(1)天窗、进风洞二者面积的比例:每100竿烟所需天窗面积为$0.165m^2$,进风面积为$0.11m^2$。二者面积比为1.5:1。天窗多采用屋脊长天窗,因此建烤房时应建成双脊檩,内沿之间留20~30cm的距离为好。进风洞分热进风洞和冷进风洞,冷进风洞是在烤房各墙基部距墙角1m左右的位置开放小口,使室外冷空气直接进入烤房。冷风洞的大小与数量应根据烤房大小而定,一般设8个或16个,即每面墙各设2个或4个。冷风洞的优点是排湿能力强。热进风洞的优点是能提高热能利用率,稳定效果好,但排湿能力差。所以当前生产上多采用冷热风洞相结合的方式。

三、装烟与烘烤

1. 装烟

为了保证烘烤质量,装烟时注意以下几点:

(1)按照上稠下稀,同层均匀一致的原则。

(2)装炕前应准确点清竿数,便于确定各层的装烟数。

(3)装在同一烤房中的烟叶要尽量做到是同一品种,同一部位和成熟一致的烟叶。装炕应在一天内完成,保证烤烟质量。

2. 烘烤过程

(1)三段式烘烤工艺:此种工艺把烘烤过程划分为变黄、定色、干筋3个阶段。

①变黄阶段:通过控制较低的温度,较高的湿度使烟叶变黄。此期结束,要求脚叶(二棚)变黄七至八成,营养发育好的下二棚以上烟叶变黄九至十成。底棚烟主筋发软。点火后,一般以每小时0.5~1℃的速度将温度升至36~38℃,干湿球温差控制在1~2℃。若遇天气干燥,烟叶含水量小,要适当在烤房内洒水增湿。

湿度过高要适当排湿。整个变黄期需48～70小时。

②定色阶段：主要是使变黄烟叶失水干燥，固定黄色和优良性状。进入定色期一般以每小时0.3～0.5℃的速度升温，将干球温度从38℃升至54℃，湿球温度升至40℃。此阶段以稳定湿球温度为准，若过高要加强排湿，过低要关小天窗地洞。此期结束，全炕烟叶应达到黄片、黄筋大卷筒，待全炕叶片全干即转入干筋阶段。整个定色期需36～48小时。

③干筋阶段：即烤干烟筋。一般以每小时1～1.5℃的速度将干球温度从54℃升至68℃，湿球温度升至并保持在43～44℃。干筋期温度不宜过高，以防烟叶已形成的致香物质的挥发散失和破坏。同时应根据主筋干燥程度，逐渐关闭天窗地洞。干筋期需24～32小时。

(2)五段式烘烤工艺：这是我国烤烟工作者根据我国烤烟传统，结合国外较低温度条件下使烟叶变黄的先进经验研制出的烤烟工艺。五段式烘烤工艺强调烟叶在42℃前应充分变黄，叶脉在48℃之前充分变黄，适当延长44～48℃这段时间。

第一阶段：底棚烟叶变黄期。此段的主要任务是点火后到炕内温度升至36℃，确保底棚变黄。该期结束时，底棚变黄应达到八成左右，主筋发软；二棚变黄七至八成，叶片发软。升温速度以每小时1℃将干球温度升至34～38℃，湿球温度在32～36℃。鲜烟优良时，干球温度宜低，时间宜长，变黄程度较高。这一阶段烧火不宜过大，升温勿过快，压火温度应偏低2℃。湿球温度低时应采取保湿措施，反之则需要排湿。

第二阶段：中上棚烟叶变黄期，此阶段的任务是确保烟叶充分变黄，二棚烟叶黄、筋青。三棚以上烟叶变黄八成左右。进入此阶段，干球温度应以每2小时升温1℃的速度提高到42℃，保持湿球温度稳定在37～39℃。该阶段前期烧火较小，结束时应将火适当烧大一点，准备转入下一阶段。

第三阶段:是指干球温度由42℃升至48~49℃。这一阶段是完成烟叶变黄到干燥的过渡,结束时要求全炕烟叶黄片、黄筋、二棚烟叶小卷筒,否则温度不超过49℃。此阶段干球温度以每2小时升1℃的速度提高到48℃,结合开大天窗、地洞,使湿球温度仍稳定在37~39℃。要做到烧火稳,升温准,不可猛升降。注意排湿,稳定湿球,若升温过快,易出现烤黑、蒸片、挂灰和回青。

第四阶段:即干叶期。是指干球温度由48℃升到54℃。此期结束要求全炕烟叶黄片、黄筋、大卷筒,叶片全干,进入此阶段以每小时升温1℃的速度使干球温度升到54℃,湿球温度仍保持在37~39℃,并注意不能升温过快。否则会挂灰或局部蒸片。

第五阶段:即干筋期。是指干球温度由54℃上升到68℃,直到停止。进入此阶段以每小时1~1.5℃的速度使干球温度升到68℃,湿球温度升到42℃,并注意不可掉温以防阴筋。此期结束,确保全炕烟叶主筋全干。

(3)特殊烟叶的烘烤技术:

①黑暴烟:形成黑暴烟的原因是氮肥过多,根据部位和环境不同,又分为老黑暴烟和嫩黑暴烟两种。

老黑暴烟是因高水肥,施氮过量形成的上部叶。七八成熟采收为宜,绑竿时要稍稀,装炕适中。烘烤时干球起点温度为39℃,湿球温度36℃,控制干湿球温差3℃。在烟叶变黄六成左右,温度升至45℃以上时,要在47~48℃上适当延长时间,使烟叶变黄九成左右。50℃之前达到全黄。在烟叶完成定色以前,湿球温度不宜超过38℃。

嫩黑暴烟是在高水肥,氮过多的条件下形成的下部叶以及雨天烟叶。嫩黑暴烟一般七成熟采收,编竿宜稀,装炕宜稀,以防排湿不畅。烘烤起点温度为40℃,湿球控制在36℃左右,维持4℃以上干湿球温差。当烟叶变黄五成左右时,温度应升到45℃,此时应加强烧火,大通风排湿,防止烤黑。在整个变黄与定色过程中，湿球温度宜控制在36～37℃，50℃以前使烟叶黄片、黄筋、半卷筒，也可稍带青筋。

②旱天烟：是长期处于干旱条件下形成的烟叶。旱天烟采收成熟度应高，装炕要密，干球起点温度宜低，湿球温度控制宜稍高，为38～39℃。变黄期干湿球温差较小，升温速度不宜太快，以确保烟片充分变黄。同时还要注意，低温阶段变黄程度宜高，防止急升温造成回青与挂灰。转火时应达到青筋黄片或黄筋黄片，要在48℃以前全炕变成黄色。

③返青烟：是因降水影响，已成熟的烟叶又返青发嫩。返青烟应等天晴后晒几天使其再次自然落黄后采收，绑竿、装炕要稀，以利排湿。烘烤时起点温度要高，一般达到40℃，湿球温度达到36～37℃，保持干湿球温差4℃左右。还要采用高温快速排湿，在45～47℃时拉长时间大量排湿，使烟叶小卷筒，然后才能继续升温转入正常烘烤，如果转火后温度较快地上升到48℃以上，烟叶因脱水困难而极易引起烫伤。

(4)烤后处理：烘烤结束还要经过出炕、回潮下竿、堆放等过程，这统称为烤后处理。

烟叶烘烤后很快干燥易破碎。出炕前应先打开天窗、地洞、房门，让外界空气进入，使烟叶稍发软后再出炕。一般在清晨或傍晚出炕。烟叶出炕后为便于下竿，堆放和分级扎把要吸湿回软，这叫回潮。烟叶回潮标准是手摸支脉不会折断，但主脉干燥为宜。阴雨天湿度大，可在炕内回潮。二是在空气湿度大的清晨出炕，把烟叶放在炕附近的场地上使其回潮发软。放烟是把第一排烟竿平放地上，第二排烟竿的烟叶尖搭在第一排烟竿的叶柄上，依次放好。三是在空气干燥的天气，地面先洒水，水泅干后，再把烟叶铺在地上回潮。回潮后把烟叶从竿上解下来，操作时不能折断烟筋，并剔除未完全烤干的活筋烟叶。解下的烟按叶尖朝里，叶柄向外，互相叠压的规格堆放在仓库里。烟垛一般要求宽1.5m，高2m，垛底离地面 15cm。整个烟垛要用塑料薄膜盖严。存烟库应清洁干燥，避光隔潮，无异味，以免烟叶吸湿霉变。

3. 几种烤坏烟的原因分析

(1)青烟：青烟有两种，一是“死青”，叶片完全呈青色且色泽发暗，以后也不会再变黄。二是“活青”，叶片青中带黄或黄中带青，光泽较鲜明，在堆放贮存中能有所转黄，但也难以彻底变黄。形成青烟原因：①烟叶不成熟，烤后为死烟。②烘烤中变黄期变黄程度不到，过早转入定色期。③定色期升温过急过高，造成回青。④烤房底棚太低，或变黄初期温度过高，造成底棚烤青或青尖。

(2)蒸片：是指叶片局部或全部呈褐色或黑褐色。但比黑糟烟好，不太容易破碎。形成原因是：①定色前期炕内湿度过大，排湿不畅升温过猛，在高温高湿条件下烟如同烫熟一样。②烤房的天窗、地洞面积小，排湿不畅，定色期水分不能及时排出。③炕温高造成闷炕。

(3)黑糟烟：又称桐叶，叶色发褐或黑褐色，叶片薄，易破碎。几乎没利用价值，多发生在下部叶。造成原因：①天窗、地洞面积小，排湿不畅。②绑烟上竿过密，或绑烟时未能使烟叶背对背。或装炕密度过大及烟叶与墙壁挤得过紧。形成“溻汗”。③烟叶含水多，发生“硬黄”或“闷黄”。④烟叶成熟过度或烘烤中变黄过度。

(4)挂灰脸：烤后烟叶有点状斑块或模糊不清的灰褐色，叫挂灰。若全叶出现严重的灰褐色称灰脸。原因有：①定色期掉温(冷挂灰)或升温过急(热挂灰)。②烟叶成熟过度。③变黄期温度低，湿度小而导致变黄时间过长，叶内养分消耗过多。

(5)阴筋、阴片：由于干筋期掉温，致使主脉中水分渗透到已干燥的主筋以及两侧叶面上而形成黑褐色。

(6)活筋：由于停火过早，主筋没有完全烤干，这种烟叶堆积存放易霉烂。

(7)烤红：烤后烟叶呈现红色。原因：①干筋期温度过高，超过

80℃。②停火时再添最后一次煤,没有等炕温稍有下降即严密关闭天窗、地洞。炕内还有一定水分未排出,炕温超过75℃而造成。

第六节 烤烟主栽品种介绍

1. 红花大金元

红花大金元是云南路南烟农1962年从美国大金元品种中选出的变异单株。1992～1994年经云南农科院烟草所进一步选育而成。1981年引进河南试种,目前河南省已种植50余万亩。植株塔形,株高110～120cm,叶长椭圆形,可采20～24片叶。最大叶长55～75cm,宽25～35cm。生育期110～120天,亩产平均达160kg。移栽期4月下旬5月上旬为宜。每亩栽植1 400株为宜,平原区种植质量较差,适于丘岗地。

2.G140(基140)

G140是美国杂交培育的品种。1977年引入河南,1989年全省已达104万亩,但由于病害严重,近年种植面积已大幅度下降。植株筒形。株高120～130cm。叶数28～30片,单叶重6g左右,大田生育期110～120天,高抗黑胫病,中抗青枯病。亩产160～180kg。

3.NC89(北卡89)

NC89是美国1976年杂交育成的品种。1981年引入河南,在许昌、漯河、平顶山、南阳、周口等地试种,表现良好。1993年,河南省种植已达到了150万亩。株高105～110cm,有效叶片21～24片。抗黑胫病、根腐病,花叶病较轻,中感气候斑病,易感赤星病。播期2月下旬,移栽4月下旬为宜。平原区每亩1 100株,岗区每亩1 300～1 400株。适宜沙壤、中壤地、中等肥力及有水利条件的丘岗区种植。

4. 长脖黄

长脖黄是河南许昌烟区栽培历史较久的烤烟地方良种。1965年在河南推广,因叶基部沿主脉两侧有长而窄的一段叶翼,似“长脖子”,加之烤后色泽金黄故称“长脖黄”。株高120~140cm,叶数24~30片,大田生育期105~110天,生长势强。气温高而多雨时,叶片易发生底烘,易染黑胫病。怕涝,应选择地势较高、排水良好、肥力中等的地块种植。怕早春寒,育苗过早,移栽后,前期生长慢,所以应适时育苗,不宜过早。平原地区每亩1 100~1 300株,岗区1 300~1 500株。烟叶成熟特征应把握下部颜色由绿变黄,主脉发白,茸毛脱落;中上部烟叶片主侧脉发白,叶面起黄泡,叶尖下垂时采收。一般烘烤4~5天。

5.K326

K326是美国用复合杂交方式育成的烤烟新品种,亲本为MC225×(MC30×NC95)。1983年开始推广,1986年中国烟草总公司郑州烟草研究所从美国引进该品种,在叶县、宝丰、鲁山3县进行品种比较试验,表现品质优良。1989年元月,经全国烟草品种审定委员会认定为推广品种。株形筒状,株高100~110cm。大田生育期120~130天,有效叶片20~23片。中抗黑胫病、青枯病,易感花叶病,苗期生长慢,大田生长整齐,成熟落黄一致,易烘烤。一般亩产160kg。该品种耐肥水,亩施尿素4kg。氮、磷、钾比例为1:2:3为宜。密度每亩1 100~1 300株。烟叶化学分析:总糖16%,总氮2.3%,烟碱含量高达3.2%。香气质较好,杂气少,燃烧性好。

6.K394

K394是在1985年由郑州烟草研究所从美国引进,1986年在河南叶县进行品种比较试验后,在叶县、鲁山、宝丰示范种植,表现较好。植株筒形,株高100~110cm,叶片椭圆形,有效叶片21~24片,大田生育期120天左右,高抗黑胫病,中抗青枯病,耐花叶病,易感气候斑。一般亩产150～165kg。化学成分分析:总糖16%～19%,总氮1.6%～2.2%,烟碱2%～3%,香气质好,燃烧性好。

该品种耐水肥,宜在水肥条件好的烟地种植。一般亩产150～160kg,每亩密度1 100～1 300株,该品种落黄好。成熟后叶面变黄,主支脉变白,烘烤容易,变黄较快,变黄期温度可保持在38℃左右,待叶片全变黄后转火升温排湿。

第七节　烟草主要病虫害防治

一、真菌引起的苗床期病害

常发病有炭疽病、猝倒病、立枯病。

1. 炭疽病

(1)症状:烟草炭疽病在苗期2片真叶时为害最重。发病部位以叶片为主,茎基部也可发病,形成赤褐色条斑。叶部感病初期出现暗绿色水渍状小斑点,中央凹陷,周围隆起。边缘呈赤褐色,群众称“水点子”。

(2)病原:烟草炭疽病菌属半知菌亚门,毛盘孢属。最适温度为20～30℃,致死温度为55℃。

(3)发病规律:炭疽病菌以菌丝分生孢子在病株残体、土壤肥料种子内外越冬。病土,带菌种子和肥料是苗床期病害的主要初次侵染来源。再次侵染靠风雨传播,病株上的病菌传至健株上而引起病害。潜育期2～3天,但当温度12～14℃时延长到10天以上。近年来利用塑料薄膜覆盖育苗,此病大为减轻。

(4)防治方法:①注意苗床的选择和苗床卫生。选地势较高,背风向阳,排水良好,无病地作苗床。施用不带菌的肥和灌溉水。做到“双洇底”或“三洇底”。苗期尽量不浇水或少浇水。②选用无病烟种和种子消毒,采种时,在无病田,无病烟株上采种,注意过筛和风选,将清洁后的种子单藏备用。种子消毒,可用0.1%的硝酸银或1%的硫酸铜或2%的福尔马林浸种10分钟,然后洗净晾干,催芽播种。③加强苗床管理,改进塑料薄膜覆盖育苗。注意通风换气和排水,防止苗床水渍。④药剂防治,发病前可用1∶1∶150波尔多液进行预防。发病后可用50%退菌特800倍液或75%的百菌清500～800倍液防治,也可用80%的代森锌500～600倍液防治,近年来用58%的甲霜灵锰防治有很好的效果。每亩苗床用50～70L。苗床期5～7天喷1次,共喷2～3次为好,病害特别严重时可喷3～5次。

2. 猝倒病

(1)症状:烟草猝倒病一般在苗床期发病,3片真叶后受害较轻,病苗基部呈湿腐状,近地面处往往形成褐色水渍状腐烂。整个病苗像开水烫过一样,成片的病苗变成暗绿色,萎蔫腐烂,倒伏。在潮湿的条件下,病害向四周扩展很快,病畦土表面可见白色丝状的菌丝体,似蛛网状。

(2)病原:病原菌属鞭毛菌亚门。菌丝无色,有不规则分枝,在孢子梗的顶端产生一管状物,管顶膨大形成一个球状体——泄囊,内生8～50个双鞭毛的游动孢子,最多可达到100个。藏卵器球形,顶生。在土壤中长期成活,土温16℃时,繁殖最快。30℃以上受抑制。

(3)发病规律:该病菌为土壤习居菌,以卵孢子与厚垣孢子在土壤中越冬。在适宜条件下病菌形成芽管或游动孢子,靠雨水或灌溉水传播。游动孢子或菌丝在近地面茎基部或稍下一点侵染为害。再侵染发生在潮湿条件下,如遇阴雨天可以多次侵染。若在数日内保持24℃左右的温度、空气湿度大、土壤水分高,则有利于病菌繁殖,从而造成病害大发生。苗床排水不良或降雨过多,有利于病菌的传播。据观察,如果塑料薄膜覆盖时间过长,超过30天则病害加重。

(4)防治方法:同炭疽病。

3. 立枯病

(1)症状:在3叶期以前发生,大苗也有发生的。病苗在近地面茎基部变褐,缢缩或腐烂、干枯。病苗萎黄而死,但不倒伏,在高湿度的情况下,会造成全床枯死,在病畦表面看不到蛛网状菌丝体。

(2)病原:病原菌是半知菌亚门。菌丝粗大,有分隔。侧分枝与主枝接触处缢缩变细,有时形成菌核,菌核萌发最适温度为23℃,菌丝生长最适温度为24~28℃。

(3)发病规律:病菌在烟草病残组织中长期存活,也能产生菌核在土壤中长期存活,并常在未开垦过的土壤中被发现。病菌的侵入方式有3种,一是直接侵入;二是在根上产生菌丝层,使根变色和死亡后,随即从死亡细胞处侵入;三是从自然孔口或伤口侵入。苗床温度低于20℃时发病严重。中等湿度甚至较小的湿度均有利于发病。

(4)防治方法:同炭疽病。

二、真菌引起的大田病害

1. 烟草黑胫病

(1)症状:黑胫病主要为害大田期烟株,旺长期后发病较多,根、茎、叶均能发病,但以茎基部为主。成株期症状有以下几种类型。

①"穿大褂"指茎基部已经受到侵染,在病向上向髓部扩展过程中,破坏髓及维管束,影响水分输送。8~10天,病株叶片呈永久性凋萎,自下而上依次变黄,植株枯死。

②"黑胫"指病菌从根部或茎部侵染,导致根部出现黑色坏死,茎基部出现黑褐色坏死斑,向下发展可破坏根系。向上发展可使

病斑高达70cm。烟农把这一症状称为“黑根”、“黑秆疯”。

③“黑膏药”指在多雨季节，雨水迸溅，使土壤中病菌得以直接侵染中下部叶片，初始为水渍状暗绿色小斑，扩大后可达4～5cm，病斑暗褐色，边缘不清晰，中央褐色如“膏药”状。在潮湿条件下，病斑表面产生白色绒毛物，因而得名“黑膏药”、“猪屎斑”。

④“腰漏”指叶部“黑膏药”斑上的病菌可沿主脉、叶茎蔓延侵染茎部，造成茎中部出现黑褐色坏死，而呈“腰漏”、“腰烂”状。

(2)病原菌为疫霉属真菌：在适宜条件下(如高湿、降温时)，每个孢子囊可释放5～30个游动孢子。游动孢子近圆形，无色，侧生二根鞭毛，作为在水中游动的器官，游动孢子萌发产生芽管侵入。黑胫病的厚垣孢子产生于病组织中，圆形，深黄褐色。菌丝生长的适宜温度为28～32℃、土壤相对湿度80%以上维持48小时，即可完成萌发侵染。病菌主要在土表0～5cm范围内活动，靠流水传播。

(3)发病规律：烟草黑胫病发生早晚轻重的关键因素是气候条件，土壤湿度和降雨影响最大。旬均气温20℃以下不发病，在22℃以上田间陆续出现症状。黄淮地区一般在5月初至5月底。

(4)防治方法：①选育推广抗病品种，目前推广的抗病品种G28、G140、G80、NC82、K326、K394均抗黑胫病。其中，G140、G80、K394为高抗品种。②坚持合理轮作，河南实行“四年两头栽烟”(即四年轮作制)，南方水旱轮作抗病作用大。轮作以禾本科作物为好。③加强烟田管理，施无菌肥料，起垄培土和开沟排水。④药剂防治：用25%瑞毒霉或甲霜灵可湿性粉剂按每亩50g拌细干土，随移栽时穴施封窝或对水若干灌根。95%敌克松可湿性粉剂350～400g/亩拌细土15～20kg，于移栽封窝前及起垄培土前各施一次。并立即封土，以免敌克松见光失效。培土后可用200～500倍液喷淋茎基部或灌根。64%杀毒矾M－8可湿性粉剂300～400倍液在发病前或发病初期喷淋或浇灌。间隔15天左右一次。其他药物，如50%瑞毒铜、1:1:(150~200)波尔多液、抗枯灵、抗枯宁、10%双效灵、PN合剂均可选用。

2. 烟草普通花叶病

该病是我国烟区普遍发生的花叶型病毒病之一，也是一种世界性病害。据河南调查的情况，受害烟田达30%~70%。使烟叶内在品质下降，失去烘烤价值。

(1)症状：花叶病先出现在新叶上，从叶基部开始，沿叶脉组织变浅绿色，呈半透明状，并逐步蔓延到整个叶片，形成花叶状。严重时叶面皱缩、扭曲并出现各种畸形。叶面常伴有浓绿色斑泡，叶缘有时上卷，节距缩短，植株矮化，生长极为缓慢，顶部2~3片叶表现为大面积坏死。

(2)病原：此病的病原是烟草普通花叶病毒，简称TMV。大小为300nm×18nm。

(3)发病规律：这种病毒可在病株细胞中不断增殖。花叶病毒以汁液摩擦传播，适宜温度为24~30℃。烟草普通花叶病的寄主范围十分广泛，除为害烟草外，还引起番茄、马铃薯、茄子、辣椒等多种作物病毒病。花叶病毒极易通过病株汁液传播。病叶和健叶只要轻轻摩擦，造成叶肉或叶茸毛细胞的细微损伤，病毒即可通过伤口侵入。田间农事操作中，手和工具等接触病叶后再接触健叶即可引起传染。烟草苗期的初次侵染来源主要是带毒肥料、混在种子里的病株残体等。大田发病的侵染来源主要是带病苗、土壤中残留的病毒及其他带病的寄主植物。温度在28~30℃时发病最重；38℃以上或12℃以下，发病很少或不发病。

(4)影响此病流行的因素：①气候因素：例如1986年许昌4~6月份累积降雨量只有59mm，为常年的37%，造成烟苗严重缺水，生长缓慢。5月21~25日突降冷雨，温度从37℃降到17℃，造成染病植株病情急剧加重，花叶病大流行。即由团棵进入旺长的关键时期遇干热风，或突降冷雨，易引起该病暴发流行。②耕作及栽培管理因素:不注意卫生栽培是造成花叶病流行的重要因素。如在苗床或大田内操作时,吸烟、吃茄科蔬菜,在病株与健株间反复来往触摸;连作及在大田中与茄科植物间作套种等,均是病害初次发生及多次侵染的条件。③品种抗性:品种不同,抗性差异很大。种植“抗44”、“广黄54”比较抗病。引进品种中,NC89、G28、柯克167等比较抗病。而G140、红花大金元、G80等品种易感病。

(5)防治方法:①加强抗病、耐病品种的选育和利用,以上提到的抗病品种可选用。②强化卫生栽培措施,发挥营养抗性水平。在农业栽培管理上,主要抓两个核心内容:一是卫生栽培,减少病害来源和传播;二是通过良好的管理措施,充分发挥植株营养抗性水平。第一要注意选种及种子消毒。第二要在大田集中育苗,培育无病壮苗。第三要做到坚持卫生栽培管理,手和工具用肥皂水消毒,不要在烟田吸烟、吃茄科蔬菜,不要在烟田反复走动。第四要坚持轮作和适当集中种植,不与茄科作物间作套种,轮作倒茬。第五要加强栽培管理,提高营养抗性。移栽时严格剔除病苗,前期烟田出现病苗时要及时拔除,补栽健苗。合理施肥适时中耕培土。③积极应用防治药剂,控制病害流行。河南农业大学研制的“花叶宁”系列剂300~500倍稀释,叶片喷施,对多种病毒病和气候斑点病的防效达70%~85%。山东大学研制的“植病灵”1 000倍液稀释,叶面喷施。此外还有“病毒A”、“Ns83—增抗剂”等多种药剂,或用0.1%硫酸锌溶液喷施。

3. 烟草黄瓜花叶病

烟草黄瓜花叶病在我国各地烟区均有发生。据河南省1986年流行盛期调查,受害面积达50%左右,重病区达70%以上,损失严重。

(1)症状:发病初期叶脉透明,几天后变成花叶,叶片变窄,叶茎变长,表皮茸毛脱落,失掉光泽。叶缘向上翻卷,叶面出现褐色或深绿泡斑,叶片侧脉出现褐色坏死斑,或沿中脉有深褐色闪电状坏死。植株萎缩,上部叶片常出现花叶灼斑。

(2)病原:黄瓜花叶病毒简称CMV,其主要成分为核蛋白,致病力很强,存活力较弱,在室温下干燥72小时即失去活力,其体外保毒期为72～96小时。

(3)发病规律:黄瓜花叶病主要靠蚜虫传播。该病毒在烟株体内增殖移动,要比普通花叶病毒快得多,在24℃温度下6小时内可在叶肉细胞内出现,48小时可进行二次侵染,并在一周内构成侵染系统。

(4)防治方法:关键是灭蚜虫,如能种抗病耐病品种和配合农业技术防治就更好。①烟田应远离蚜虫寄主,以防蚜虫迁入传毒。早春于蚜虫迁飞之前,喷药防治。②处理残株和烟杈,在打顶时将带有蚜虫的烟株、烟叶带出烟田,集中深埋。③选种抗病品种。④实行麦烟套种,不在村边、菜园地种烟。⑤覆盖灰色膜,利用蚜虫避银灰色习性,大田移栽时即覆盖银灰色薄膜,可以阻止蚜虫向烟田迁飞传毒,且能够保墒。

4. 烟叶赤星病

烟叶赤星病主要为害成熟期烟叶,近年来再度在全国范围内流行成灾。

(1)症状:主要为害叶片,先在下部叶片上出现圆形深褐色小点,病斑扩大后直径可达0.7～3cm。但多为圆形或多角近圆形,病斑上的死组织出现同心轮纹,颜色赤褐色或深褐色。当病斑扩展迅速时,病斑边缘常出现较宽的黄色晕圈,所有病斑在高温条件下都会产生深褐色或黑色霉层,即病菌的分生孢子梗及分生孢子。

(2)病原:烟草赤星病是真菌类中的半知菌亚门,交链孢属。菌丝无色,有分隔。分生孢子顶弯曲,褐色。菌丝生长及产孢适宜温度为25～30℃,孢子萌发要求85%以上的相对湿度。适宜时不足一小时即萌发。

(3)发病规律:烟株抗病具有阶段性,幼苗期抗病,生理成熟期易感病。该病菌以菌丝在病株残体上越冬。该病流行是中温天气而不是高温天气,25℃以上病重,30℃以上、24℃以下病轻。6～8月份黄淮地区的平均相对湿度、降雨量、阴雨天数与病情成正相关,成熟期多雨寡照则病情严重,干旱少雨则病轻。在感病阶段,昼夜温差大,早晨露水多,叶面水膜保持时间长,有利于病菌侵入。另外根结线虫病为害严重的烟田,更易发生赤星病。

(4)防治方法:①选用抗病植株。G80、G28、NC95、柯克176较抗病。②改进栽培技术。争取早播、早栽、早收。加大行距,清除杂草。改善株行间小气候,增加通风透光排湿能力。合理施肥,科学打杈,实行轮作,这些措施综合运用,有助于减轻病害。③药物防治:赤星病菌是一种耐药性较强的真菌,目前尚无特效药物,科学用药可阻止侵染。1.5%的多抗霉素可湿性粉剂150倍液、50%朴海因可湿性粉剂1 500倍液、58%千宝可湿性粉剂600～800倍液、50%退菌特可湿性粉剂500倍液、70%甲基托布津800～1 000倍液、1:1:(150～200)波尔多液均可用来防病。初发期第一次用药,以后视病情及天气变化,间隔7～15天喷一次。波尔多液与其他药交替使用效果更好。在根结线虫为害严重的烟田,应先防治线虫病。

5. 白粉病

烟草白粉病俗称"上硝"、"发白"或"下霜",在我国各烟区均有发生。

(1)症状:该病主要为害旺长期前后的烟株,多出现于底脚叶及下二棚叶,最明显的症状是在叶片的正反两面和茎秆上着生一层白粉,叶片上好似下了一层"白霜"。病害自下而上逐渐蔓延,很快遍及全株,严重时整株干枯死亡。染病叶烘烤后薄如纸,丧失经济价值。

(2)病原:该病菌是真菌中的子囊菌亚门,白粉菌属。菌丝有分隔,分生孢子梗无色较短,与菌丝作垂直分枝,分生孢子着生于分生孢子梗的顶端,串生。由外向内渐次成熟脱落,随风雨和昆虫传播到烟株上。白粉菌生长适宜温度为22～28℃，最高温度32℃，最低7℃，分生孢子萌发要求60%～75%的中等相对湿度。

(3)发病规律：烟草白粉病在温暖潮湿、日照少的年份或地区发病多。病菌随被害茎叶埋入土中，以子囊孢子在土壤中越冬。在寒冷的地方，以子囊壳越冬。翌年越冬菌靠风雨传入烟田，侵染为害烟草。高密度栽培、氮肥过多、不合理灌溉、土壤黏重，有利于发病。

(4)防治方法：①选用抗病品种，晒烟有金英烟，广红2号；烤烟有广黄10号，广黄46号，G28，许全2号。白肋烟有21/52。②加强田间栽培管理。适时早栽，控制密度，烤烟每亩1 100～1 300株为宜。及时采收，通风透光，增施钾肥，控制氮肥，做好田间排水。③药剂防治：常用药剂有50%退菌特500～800倍液，80%代森锌500～600倍液，70%甲基托布津800～1 500倍液，75%百菌清600倍液，1.5%多抗霉素150倍液，20%三环唑300倍液，40%灭病威均可选用。在发病初期开始喷药，以后根据病情，每隔7～10天喷1次药。共2～3次即可。

三、烟田主要虫害

1. 地老虎

地老虎是烟区重要的地下害虫，俗名土蚕，鳞翅目，夜蛾科。

图4-9所示的为小地老虎；图4-10所示的为黄地老虎。

(1)为害特点：地老虎是杂食性害虫。除为害烟苗，还为害棉花、玉米、小麦等100多种植物。低龄幼虫常咬食嫩茎，造成缺苗断垄，严重时缺苗率达到15%。

(2)生活习性：地老虎在河南1年发生4代，越冬成虫一般于3月中旬出现，3月下旬至4月中旬为发蛾盛期，幼虫4月中下旬大量孵化，此时正值烟苗移栽阶段，为害严重。成虫具有趋光性。

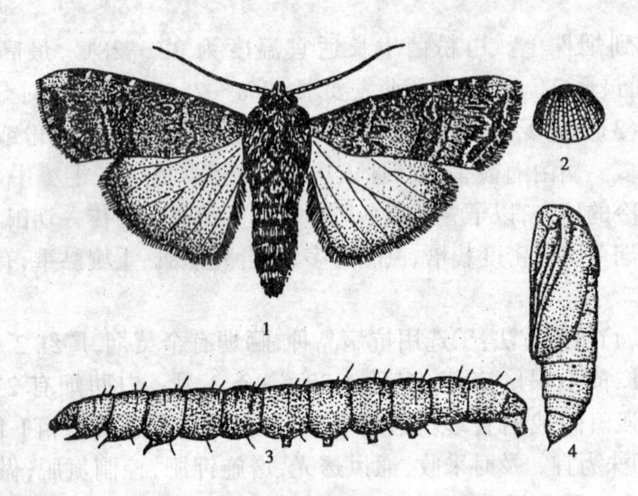

图 4-9　小地老虎

1. 成虫　2. 卵　3. 幼虫　4. 蛹

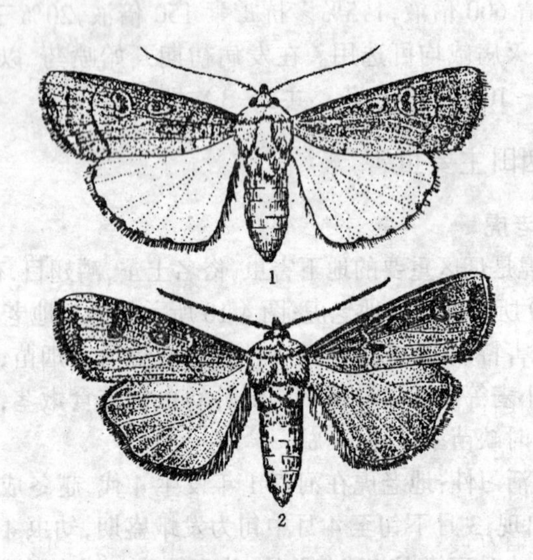

图 4-10　黄地老虎

1. 雌成虫　2. 雄成虫

(3)防治方法:①除草灭虫。春季地老虎产卵盛期及幼虫1~2龄期,进行土地耕翻和除草可消灭大量虫源。②诱杀成虫,在成虫发生期用糖醋液诱蛾减少产卵量。③泡桐叶诱集幼虫。每亩放置60~80片新鲜泡桐叶,每天早上捕捉叶下幼虫。④药剂防治:用90%敌百虫800倍液喷洒苗床,500~800倍液于移栽后灌根;毒土防治:75%辛硫磷0.5kg,加少量水喷拌于125~175kg细土中,于傍晚顺垄撒施。使烟草周围形成一个药带,毒土用量每亩20kg;喷洒药液:用2.5%敌百虫粉对地面喷洒2次,每亩用药3kg;或用2.5%敌杀死1 200倍液浇灌烟株,每株0.25L;或用50%辛硫磷1 000倍液喷雾。

2. 蝼蛄

蝼蛄属直翅目、蝼蛄科,俗称土狗子。我国烟草区常见的有华北蝼蛄和东方蝼蛄(见图4-11)。

(1)为害特点:蝼蛄的成虫和若虫在土中活动时,能形成纵横交错的隧道,使作物根部与土壤分离,致使作物枯萎,同时又取食播下的种子和幼苗的茎基部,造成直接为害,被害部位呈乱麻状。

(2)生活习性:华北蝼蛄3年完成一代,以成虫和高龄若虫在土中越冬。在河南、山东等地成虫于3月下旬至4月下旬开始活动,4~5月间为为害最盛期。第一年若虫为害至10~11月,以8~9龄若虫越冬;第二年以12~13龄若虫越冬;第三年8月间变为成虫,当年以成虫越冬。东方蝼蛄在黄淮地区2年完成1代,均以成虫和若虫越冬。华北蝼蛄常在缺苗断垄处,高温干燥向阳地及靠近田埂附近的土中产卵,土壤含水量在18%左右时最适于产卵。东方蝼蛄多在沿河池埂、沟渠附近产卵。蝼蛄有昼伏夜出习性,午夜前后为活动取食高峰。成虫有趋光性。

(3)防治方法:①毒饵法:90%敌百虫或40%乐果0.5kg,用15L水稀释,拌入炒香的豆饼或麦麸50kg中,即成毒饵,按每亩2~2.5kg撒在苗床上。②煤油水浇灌蝼蛄隧道:在蝼蛄隧道口滴入数滴煤油或在煤油内加入少许50%辛硫磷乳油500倍液，滴入隧道洞口，而后向隧道口灌水，蝼蛄会死于隧道内或爬出后死亡。③挖坑堆粪诱杀法：在苗床周围挖坑堆入骡、马粪诱集、捕杀，也可用灯光诱杀的方法。

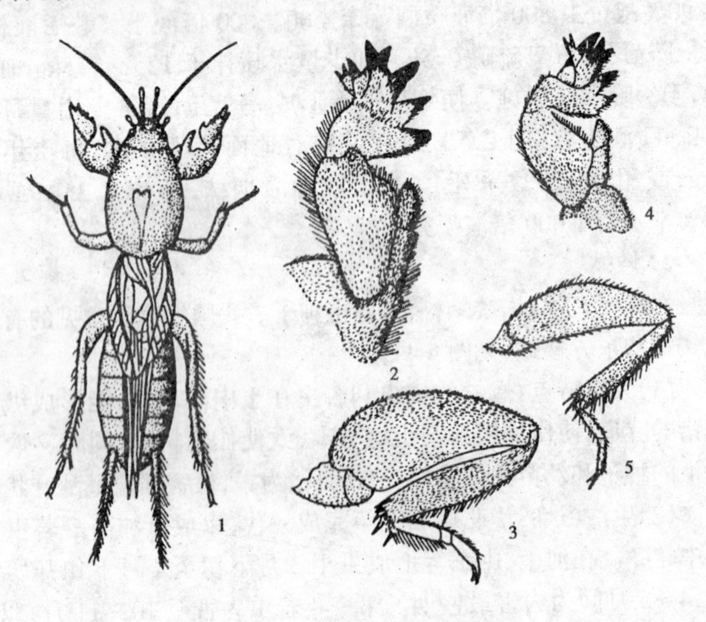

图4-11 华北蝼蛄和东方蝼蛄

1. 华北蝼蛄的成虫 2,3. 华北蝼蛄的前足和后足

4,5. 东方蝼蛄的前足和后足

3. 金针虫

群众称此虫为铁丝虫、节节虫等。它是叩头虫幼虫的总称，3种叩头虫的成虫示意如图4-12。

(1)为害特点：金针虫多在烟草移栽后及团棵期蛀食根茎处，造成缺苗和烟株黄化枯死。在受害的根茎内，可见到数条或数十条金针虫在一株苗上为害。

(2)形态特征及生活习性:沟金针虫,雄虫体长 14～18mm,宽约 3.5mm,老熟幼虫于次年 3 月上旬开始活动,4 月上旬为活动盛期,白天潜伏在麦田或杂草中,夜间出来活动交尾产卵,卵经过 35～42 天孵化为幼虫,在烟田或其他春播作物田为害根部。土温 10～16℃时为害最重。

(3)防治方法:可用敌百虫毒饵防治。具体是用 90%敌百虫 0.5kg,兑水 15kg,溶解后拌和细碎炒香的饼 40～50kg,堆闷后于傍晚前开沟撒于烟苗周围内侧,并覆土踏实。大田防治可顺烟行开沟施用。或用 90%敌百虫 500～800 倍液灌根。另外,采用人工捕杀的方法,即在烟苗移栽后,发现被害植株,轻轻扒开表土,即可捉到幼虫。

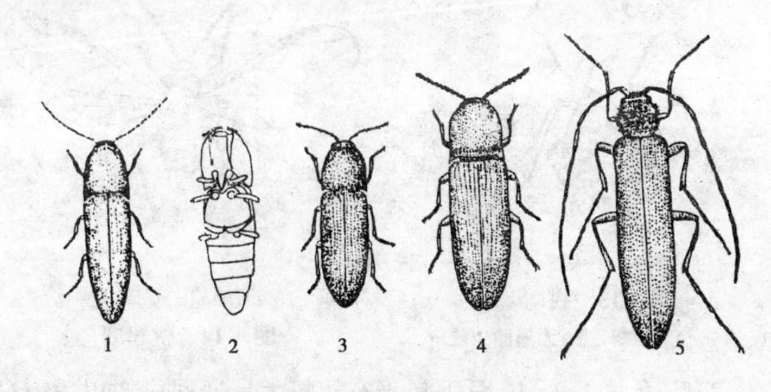

图 4-12　3 种叩头虫的成虫

1. 细胸叩头虫成虫　2. 叩头虫成虫腹面(示特征)

3. 褐纹梳爪叩头虫成虫　4,5. 沟叩头虫的雌成虫和雄成虫

4. 蚜虫

烟草蚜虫,又称桃蚜,俗名"腻虫",烟蚜的形态有两种,即无翅蚜与有翅蚜。常见的有桃蚜及桃粉蚜(见图 4-13、图 4-14)。

(1)为害特点:蚜虫主要为害大田植株顶叶。烟蚜的成蚜和若蚜均喜聚集在幼嫩烟叶背面或嫩茎上刺吸取食,烟株现蕾后,主要刺吸嫩蕾、花及嫩果汁液。为害严重时,生长缓慢,植株变小,叶片卷缩变小、变薄,果实干瘪。

(2)生活习性:烟蚜在河南许昌一带 1 年发生 24~28 代。以卵在桃树上越冬,2 月底孵化出 1 代母蚜,并在桃树上繁殖 3 代,第 3 代为有翅蚜,于 5 月间迁飞烟田为害。繁殖无翅蚜 15~17 代后,8~9 月间又产生大量有翅蚜飞往蔬菜上繁殖 8~9 代,到 10 月上中旬再产生有翅蚜重新迁回桃树,同时雌雄蚜在桃树上交配,产卵越冬,一部分在蔬菜上越冬。

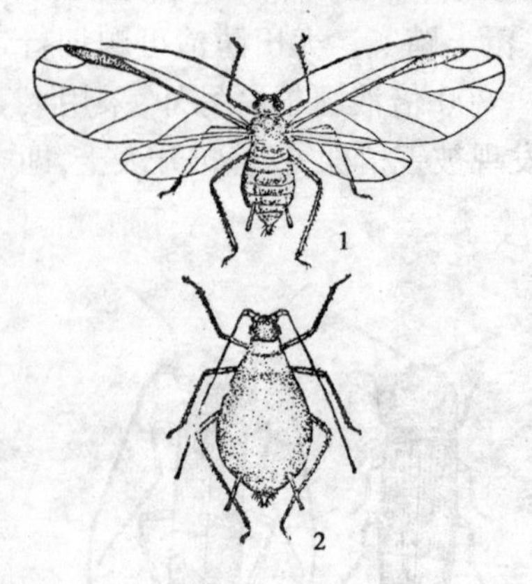

图 4-13 桃蚜

1. 有翅胎生雌蚜 2. 无翅胎生雌蚜

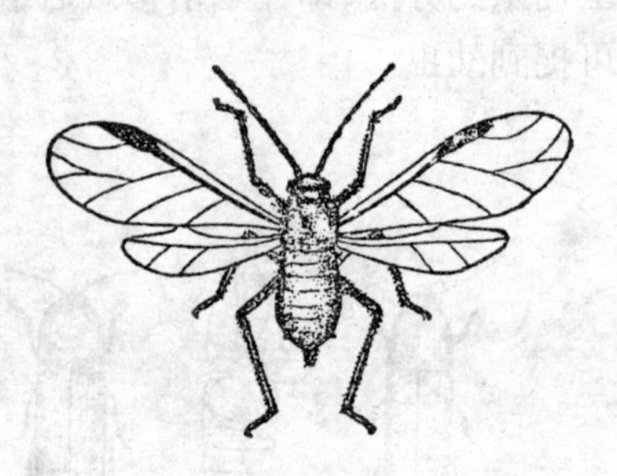

有翅胎生雌虫

图 4-14 桃粉蚜

(3)防治方法:①10 月下旬当有翅蚜大量迁回桃树以后,打落桃叶,集中沤肥,减少越冬虫卵 85%~96%。3 月上旬至 4 月上旬在有翅蚜尚未产生时向桃树上喷洒 40%乐果乳剂 500~1 000倍液。5 月份对油菜上蚜虫要及时防治。②防治烟田蚜虫,在大田点片发现蚜虫时开始施药,每 10 天喷药 1 次。药剂可用 40%乐果乳剂 500~1 000倍液或 40%氧化乐果1 000~2 000倍液或敌敌畏1 000倍液喷洒,效果很好。③生物防治:利用蚜虫天敌来防治。天敌主要有寄生蜂、七星瓢虫、异色瓢虫、草蜻蛉以及食蚜蝇等。掌握在烟蚜发生的高峰期前,在田间释放草蜻蛉幼虫。烟蚜与草蜻蛉的比例为(50～100)∶1。

5. 烟青虫

烟青虫又名烟草夜蛾(见图 4-15)。

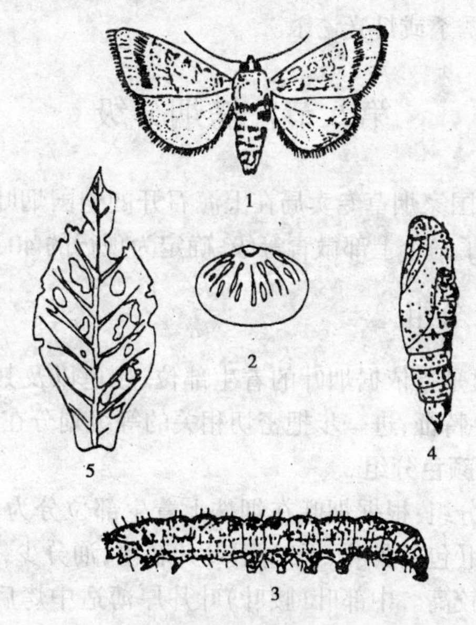

图 4-15 烟青虫

1. 成虫 2. 卵 3. 幼虫 4. 蛹 5. 被害状

(1)形态特征及生活习性：老熟幼虫体长 3.3cm，体色变化不一，常见的有青色、绿褐色、暗褐色等。幼虫成熟后入土化蛹，蛹为黄色，在土中越冬，春季羽化为成虫(飞蛾)。成虫有趋化性，昼伏夜出，交尾产卵，虫卵产于花及青果上。1 年繁殖 3～4 代。初龄幼虫昼夜取食，3 龄后食量大增，天晴时白天隐藏，夜晚取食，阴天则昼夜取食，主要取食心叶、嫩叶，也取食花蕾、青果与种子。烟青虫除为害烟草外还为害棉花、番茄、大豆、花生、南瓜等多种作物和杂草。

(2)防治方法：①在幼虫期，可用 90％敌百虫1 000倍液或用

25%西维因 500～1 000倍液，或用 50%杀螟松 500 倍液喷雾。一般从青虫为害开始起，每隔 10～15 天施 1 次药。②人工捕捉，在青虫为害期间阴天或早晨组织人力逐株捕捉，效果很好。③诱捕成虫，用毒饵诱杀或灯光诱杀。

第八节　烤烟分级

1990 年，国家烟草专卖局在上海召开的全国烟叶标准会议上讨论，又增加了一个上部微青等级，确定为现行的 40 级制标准。

一、烟叶分组

烤烟分组是指依据烟叶的着生部位、颜色以及其他和总体质量相关的主要特征，进一步把密切相关的等级划分在一起。

1. 部位、颜色分组

(1)部位分组：根据烟叶在烟株上着生部位分为下部、中部和上部。下部烟(包括脚叶、下二棚)叶片较薄，油分少，组织粗糙，易破碎，蛋白质较高。中部叶(腰叶)叶片厚薄适中烤后叶多为橘黄色、金黄色与正黄色，光泽强，油分多，组织疏松，糖分、总氮、烟碱含量适中，香气质好、量足，劲头适中，味醇和。上部叶(包括上二棚、顶叶)叶片较厚，烤后颜色多为橘黄、深黄，组织致密，总氮、不溶性氮、挥发性碱含量高，香气浓，劲头大，刺激性也较大。

(2)颜色分组：烟叶中的色素主要分绿色素和黄色素。如在青黄至橘黄色域内，随黄色加深，香气质由差转好，以橘黄色最佳。在橘黄至红棕色域内，随颜色加深，香气质变差，杂气增加，刺激性变大。颜色不同，所含化学成分也不相同。

2. 国家烤烟分级标准中的分组

当前，全国推行的是 40 级制国家烤烟分级标准。该标准是先按部位分组，分下部、中部、上部，再以颜色分组，分柠檬黄、橘黄、红棕。即分为下部柠檬黄(XL)、下部橘黄(XF)、中部柠檬黄(CL)、中部橘黄(CF)、上部柠檬黄(BL)、上部橘黄(BF)、上部红棕(BR),另加一完熟组(H)共 8 个正组。副组包括中下部杂色(CXK)、上部杂色(BK)、光滑叶(S)、微带青(V)、青黄色(GY)5 个副组,共 13 个组。

二、烟叶分级

"级"的划分是在烟叶按其不同性质分组后,再根据烟叶内在质量与外观特征一致的原则予以区分开。烤烟国家 40 级制分级因素包括成熟度、叶片结构、身份、油分、色度、长度、伤残等。每个因素又划分不同程度档次(见表 4-1)。根据分级因素及档次,分下部柠檬黄色 4 个级,橘黄色 4 个级;中部柠檬黄 3 个级,橘黄色 3 个级;上部柠檬黄 4 个级,橘黄色 4 个级;红棕色 3 个级;完熟叶 2 个级;中下部杂色 2 个级,上部杂色 3 个级;光滑叶 2 个级;微带青 4 个级;青黄色 2 个级,共 40 个级(见表 4-2)。

表 4-1　品级要素及程度档次

品级要素		程度档次				
		1	2	3	4	5
品质因素	成熟度	完熟	成熟	尚熟	欠熟	假熟
	叶片结构	疏松	尚疏松	稍密	紧密	–
	身　份	中等	稍薄、稍厚	薄、厚	–	–
	油　分	多	有	稍有	少	–
	色　度	浓	强	中	弱	淡
	长度(cm)	45	40	35	30	25
控制因素	破　损	以百分比表示				
	残　伤	以百分比表示				

表 4-2 国家烤烟 40 级制分级标准

组别		级别	代号	成熟度	叶片结构	身份	油分	色度	长度(cm)	均匀度(%)	残伤(%)
下部(X)	柠檬黄(L)	1	X1L	成熟	疏松	稍薄	有	强	40	85	10
		2	X2L	成熟	疏松	薄	有	中	35	80	20
		3	X3L	成熟	疏松	薄	稍有	弱	30	80	25
		4	X4L	假熟	疏松	薄	少	淡	25	80	30
	橘黄(F)	1	X1F	成熟	疏松	稍薄	有	强	40	85	10
		2	X2F	成熟	疏松	稍薄	有	中	35	80	20
		3	X3F	成熟	疏松	稍薄	稍有	弱	30	80	25
		4	X4F	假熟	疏松	薄	少	淡	25	80	30
中部(C)	柠檬黄(L)	1	C1L	成熟	疏松	中等	多	浓	45	90	5
		2	C2L	成熟	疏松	稍薄	有	强	40	85	10
		3	C3L	成熟	疏松	稍薄	有	中	35	80	20
	橘黄(F)	1	C1F	成熟	疏松	中等	多	浓	45	90	5
		2	C2F	成熟	疏松	中等	有	强	40	85	10
		3	C3F	成熟	疏松	中等	有	中	35	80	20
上部(B)	柠檬黄(L)	1	B1L	成熟	尚疏松	中等	多	浓	45	90	5
		2	B2L	成熟	稍密	中等	有	强	40	85	10
		3	B3L	成熟	稍密	中等	稍有	中	35	80	20
		4	B4L	成熟	紧密	稍厚	稍有	弱	30	80	25
	橘黄(F)	1	B1F	成熟	尚疏松	稍厚	多	浓	45	90	5
		2	B2F	成熟	稍密	稍厚	有	强	40	85	10
		3	B3F	成熟	稍密	稍厚	有	中	35	80	20
		4	B4F	成熟	紧密	厚	稍有	弱	30	80	25

续表 4-2

组别	级别	代号	成熟度	叶片结构	身份	油分	色度	长度（cm）	均匀度（%）	残伤（%）
红棕（R）	1	B1R	成熟	稍密	稍厚	有	浓	45	90	5
	2	B2R	成熟	稍密	稍厚	有	强	40	85	15
	3	B3R	成熟	紧密	厚	稍有	中	35	80	25
完熟叶（H）	1	H1F	完熟	疏松	中等	稍有	强	40	85	10
	2	H2F	完熟	疏松	中等	稍有	中	35	80	25
杂色（K） 中下部（CX）	1	CX1K	尚熟	疏松	稍薄	有	–	35	80	20
	2	CX2K	欠熟	尚疏松	薄	少	–	25	80	25
杂色（K） 上部（B）	1	B1K	尚熟	稍密	稍厚	有	–	35	85	20
	2	B2K	欠熟	紧密	厚	少	–	30	80	30
	3	B3K	欠熟	紧密	厚	少	–	–	80	35
光滑叶（S）	1	S1	欠熟	紧密	稍薄 稍厚	有	–	35	80	10
	2	S2	欠熟	紧密	–	少	–	30	80	20
微带青（V） 下二棚		X2V	尚熟	疏松	稍薄	有	中	35	80	15
微带青（V） 中部		C3V	尚熟	疏松	中等	多	强	40	85	10
微带青（V） 上二棚		B2V	尚熟	尚疏松	稍厚	多	强	40	85	10
		B3V	尚熟	稍密	稍厚	有	中	35	85	10
青黄色（GY）	1	GY1	尚熟	尚疏松 至稍密	稍薄 稍厚	有	–	35	80	10
	2	GY2	欠熟	稍密 至紧密	稍薄 稍厚	稍有	–	30	80	20

（1）成熟度：成熟度划分为完熟、成熟、尚熟、欠熟和假熟 5 个档次。完熟指的是上部烟叶在田间达到充分成熟，且调制后熟充分。成熟是指烟叶在田间发育充分，成熟充分。尚熟：烟叶在田间已达到充分发育，但刚成熟或调制失当后熟不够。欠熟：则是指烟叶在田间未达到成熟。假熟：外观已呈现成熟状态，但未达到真正

成熟，一般泛指脚叶。

(2)叶片结构：指烟叶细胞的疏密程度，分疏松、尚疏松、稍密、紧密 4 个档次。

(3)身份：指烟叶厚薄程度。分薄、稍薄、中等、稍厚、厚 5 个档次。

(4)色度：指烟叶色彩的饱和程度。色度划分为浓、强、中、弱、淡 5 个档次。

(5)油分：根据直观烟叶外观油润和枯燥的状况，分多、有、稍有、少 4 个档次。

(6)长度：指从叶片茎部至尖端间的距离。

(7)残伤：指烟叶组织受破坏失去成丝的强度和坚实性，使用价值低。

(8)颜色：分为柠檬黄色，橘黄色，红棕色。

(9)微带青：微带青指的是黄色烟叶上叶脉带青或叶片含微浮青面积在 10%以内。

(10)青黄色：青黄色是指黄色烟叶上含有任何可见的青色，且不超过 3 成者。超过 3 成者视为不到级。

(11)光滑：指的是烟叶组织平滑或僵硬。叶片上平滑或僵硬面积超过 20%者均列为光滑叶。

(12)杂色：包括轻度洇筋，蒸片，局部挂灰青痕较多，严重烤红，潮红，受蚜虫损害叶等。40 级制设杂色组，分中下部杂色 2 个级，上部杂色 3 个级。凡杂色面积达到或超过 20%者，均视为杂色叶片。

第九节　烟草施肥技术

烟田土壤肥力的高低，是影响烟叶产量和品质的重要因素。合理施肥是烟草栽培的关键措施。因此必须了解烟草的营养特征、施肥数量、施肥时期及方法，才能达到培育高产优质烟叶的目的。

一、烟草的营养特征

烟草在生长发育过程中，必需的营养元素有碳、氢、氧、氮、磷、钾、钙、镁、硫、氯、铜、硼、锌、锰、铁、钼等十几种元素。缺乏任何一种营养元素，植株就不能正常发育。氮、磷、钾植物生长需要量大，人们把它称为大量元素。其他是中、微量元素。除这些必要元素外，烟叶中还有钠、锡、钛等20多种稀土元素。

1. 大量元素的作用

(1)氮：氮是构成细胞原生质、烟碱、叶绿素的主要成分，是保证烟叶产量和品质的重要元素。它对烟叶的光合作用及养分的吸收和代谢过程都有很大影响。氮素不足，代谢作用受阻，生长缓慢，植株矮小，叶片薄，产量低，质量差。氮素施用过多时，徒长、黑暴，贪青、晚熟，叶片胶质少而脆性大，不易烘烤。烤后烟叶油分少，杂气重，香气少，燃烧性差。烟叶中的含氮量在1.5%～3.5%范围内是合适的。铵态氮与硝态氮各占50%的条件下烟株生长正常。

(2)磷：磷参与糖类、含氮化合物和脂肪的代谢，是核酸、蛋白质、磷脂和植素等多种物质的成分。磷促进细胞分裂，加速生长发育，缩短移栽至成熟的时间。恰当地施入磷肥，可消除叶片窄而灰暗的不良状况。缺磷时，细胞分裂活动减弱，叶色暗而无光，下部叶产生小白斑点。但磷素过多，就会造成组织粗糙、叶脉突出、油分不足、易破碎等而降低品质。

(3)钾：钾是烟草细胞中最活跃的元素。在烟草所吸收的矿质元素中，钾素是最多的一种。它对多种酶有激活作用，钾素促进叶片含糖量增加，改善烟叶的弹性和光泽，增强烟叶的燃烧性。钾使烟株生长健壮，茎秆坚韧，促进根系发育，减轻病害，防止倒伏。缺钾时叶尖、叶缘处首先出现绿色晕斑，严重时变成红铜色或棕褐色枯死斑点，最后斑点枯死脱落穿孔，使叶片形成锯齿形边缘。

2. 中微量元素的作用

(1)钙:钙是细胞壁中果胶钙的重要构成成分,是烟草灰分的主要成分。烟草需要钙的合适范围是1.5%~2.5%。缺钙会造成烟株生理紊乱、游离氨基酸含量明显增加,阻碍蛋白质合成,使上部幼叶的叶绿素消失、叶尖向下弯曲,造成种子、花蕾不健全。

(2)镁:镁是叶绿素的构成元素。缺镁时,叶绿素不能形成或被破坏,出现缺绿症。烟叶中含0.3%~0.5%的镁为宜。

(3)硫:硫是烟叶合成蛋白质不可缺少的元素,蛋白质中的胱氨酸、半胱氨酸中都含有硫。硫不足时,上部叶尖变黄;硫过高时,烟叶燃烧性降低,香味差。

(4)氯:适量的氯可提高烟叶产量,改善某些品质因素,如颜色、水分含量等。过量的氯降低烟叶的燃烧性和燃烧的持久能力。烟叶中含氯量不超过1%为宜,达到2.5%以上时烟叶几乎不燃烧。不能大量施用氯化钾肥料。

(5)铜:铜对植物有保护作用,波尔多液能够防病治病就说明了这一点。铜可以使烟叶成熟均匀。缺铜时上部叶片出现白色泡状失绿症。生长缓慢,烟株矮小。

(6)锌:锌能促进种子萌发,促进花芽分化。叶面喷0.2%的锌肥可防花叶病。缺锌形成小叶病。

(7)锰:锰是植株体中多种氧化酶的组成部分,在体内氧化还原代谢中起重要作用。锰营养不足时,嫩叶出现缺绿症。严重缺锰时,叶面会出现枯斑。

(8)硼:硼参与蛋白质的代谢和生物碱的合成,促进糖的运输。缺硼时生长受阻,根系变小,幼叶常呈畸形、扭曲,上部叶变得窄而尖。就一片叶而言,缺绿是由基部开始,畸形小叶的中脉和支脉间呈深棕色或出现黑色条纹。下部叶变厚发脆,中脉可破折。

(9)铁:铁含量与叶绿素呈正相关,铁能促进烟叶中的氧化还原反应,促进光合作用,缺铁时顶芽、幼叶首先变黄及黄白乃至白色。叶面喷0.1%~0.2%的硫酸亚铁可清除缺铁症。

二、施肥技术

1. 烟田肥料种类

(1)农家肥料:农家肥包括厩肥、堆肥、饼肥、草木灰等有机肥。

厩肥是牲畜粪尿和垫圈材料混合积制而成。其主要成分是氮、磷、钾和有机质。无论是哪种厩肥必须经过充分的腐熟才能施用于烟田。

堆肥是利用杂草、落叶、垃圾、污水、粪尿等混合沤制而成。一般堆肥杂草、垃圾、泥土较多,营养成分与猪粪相似。高温堆肥常用作物秸秆、骡马粪、人粪尿、泥土等沤制而成,其有机质和氮磷钾含量比一般堆肥高得多。这些肥养分完全,肥效持久,是烟草的好肥料。切忌使用沤制不充分的肥料。

饼肥是指菜籽饼、豆饼、芝麻饼、花生饼、棉籽饼等。饼肥含氮和有机质多,含磷、钾较少。饼肥可明显地改善烟叶的颜色、光泽、油分、弹性和香气等品质因素。

草木灰是农家肥中重要的钾素肥料,是碱性肥料。含有丰富的钾、磷,还有钙、镁、锰、硼等。

(2)化学肥料:有氮肥、磷肥、钾肥、复合肥、腐殖酸肥料等。

氮肥:有硝态氮和铵态氮。常用硝态氮有硝酸钠、硝酸钙、硝酸铵等。铵态氮有硫酸铵、碳酸氢铵、尿素等。烟田不提倡用尿素。

磷肥:常用的磷素化肥主要有过磷酸钙、重过磷酸钙,钙镁磷肥,磷矿粉等。过磷酸钙为速效磷肥,重过磷酸钙的速效磷含量高达44%,用于烟田效果良好。

钾肥:适用于烟草的钾肥是硫酸钾。硫酸钾含 K_2O 50%,是高效化肥。氯是烟草禁忌元素,因此必须杜绝在烟田施用氯化钾。

复合肥:两元素的有磷铵、硝酸钾、磷酸二氢钾、硝基磷肥等。磷铵 P_2O_5 含量高,更适于在酸性土上施用。磷酸二氢钾既可土施又可喷施。

腐殖酸肥料:它是以腐殖酸含量较多的泥炭、褐煤、风化煤为主料加入一定氮、磷、钾化肥,并根据土壤类型,弥补土壤中缺乏的微量元素所制成的肥料。如腐殖酸钠、腐殖酸铵等,它们都称为腐肥。腐殖酸是高分子的有机化合物,这种肥对作物结果效果良好。

2. 肥料用量

(1)氮用量:氮的用量每亩超过 6.0kg,则表现为产量品质降低。因此在我国西北部的干旱、半干旱地区,氮用量以 3.0~4.5kg 为宜,过少达不到优质丰产,过多烟叶品质下降。

(2)磷用量:施磷可增产,但增产幅度不大,而且只有在(0~4~8)kg/亩的范围内增产,超过 8kg/亩以后产量下降。上等烟的比例则表现为随磷用量的增加而提高。说明磷有改进烟叶颜色和油分的优良作用。

(3)钾用量:钾是影响烤烟品质和产量的重要营养元素之一。在速效钾含量为 75.9mg/kg 的土壤上,钾的经济施用量为 11.1kg/亩。而在速效钾含量大于 150mg/kg 的土壤上,以不施用钾肥经济效益最高。

三、施肥方法

1. 施肥原则

有机肥和化肥结合施用,氮、磷、钾按比例施肥,基肥与追肥、有机肥与无机肥配合施用,大量元素与微量元素相结合。

2. 基肥追肥施用方法

堆肥、厩肥、圈肥等农家肥料以及饼肥、磷钾肥、复合肥、化肥均可作为基肥。在推广起垄栽烟以来,基肥也分两次施用。起垄时将基肥用量的 2/3 条施于垄底,另外 1/3 在移栽时施于窝内。追肥一般在栽后 20~30 天后撒施于株间。追肥可以防止后期过早地脱肥早衰。

3. 双层施肥法

在起垄前将基肥用量的60%～70%条施于垄底烟株栽植行上,然后起垄,移栽时再把剩余的30%～40%施于定植穴底部,覆薄土后移栽烟苗。

4. 双条施肥方法

双条施肥结合烟草根系分布的特点,将肥料施于距烟行15cm的两侧,深度在20cm左右。美国烟草75%以上的烟田采用双条施肥,我国一些省烟区也采用这种方法。实践证明,双条施肥的效果,烤烟产量和品质均明显优于单条施肥。

5. 烟肥喷施方法

这种方法亦就是根外追肥。20世纪末期推广的烟草专用叶面营养液,以氮、磷、锌、钾、锰为主要营养源,并根据养分平衡原理适当地配合磷、硼、铜、钼、铁等十几种必需的营养元素,对烟叶产量和质量都有良好的作用。具体方法是:采用营养液200倍液,分别在团棵期、打顶后和下二棚叶片采收后喷施3次。一般在傍晚喷施,夜间露水使叶面喷肥液滴干燥慢,便于吸收。近年推广的绿芬威1号,含钾34%,对解决烟株中后期缺钾有明显效果。施用方法,于打顶后立即喷施,浓度为1 000倍液,第一次喷药后15～20天进行第二次喷施。一般进行2次。另外喷0.5%磷酸二氢钾可加速落黄。喷河南农业大学研制的“烟草多效素”可防治气候斑点病。喷硫酸锌、硫酸铜可防花叶病。

6. 立体施肥方法

起垄时全部施入豆饼、草木灰和50%的复合肥,不施钾肥。移栽时施入剩下的50%复合肥和全部钾肥。同时栽植时用“打眼施肥法”,在每株烟两侧,离烟苗10cm处,各打一深15cm的施肥眼,将肥料施入并覆土。这样肥力集中,提高了肥料利用率。在旺长期、打顶期各喷2遍绿芬威1号和2号,使各层次的肥料充分发挥作用,达到满足烟株生长发育的需要。

附录：

中英文单位对照表

英文	中文	英文	中文
$667m^2$	1 亩	kg/株	公斤每株
m	米	g/m^2	克每平方米
cm	厘米	mg/100g	毫克每 100 克
mm	毫米	L	升
m/s	米每秒	ml	毫升
t	吨	lx	勒克斯
kg	公斤	φ6	直径 6 毫米
g	克	℃	摄氏度
kg/m^2	公斤每平方米		

参考文献

[1] 山西运城农业学校主编．果树病虫害防治．北京:农业出版社,1980
[2] 马希满主编．苹果密植栽培．石家庄:河北科技出版社,1992
[3] 汪景彦主编．苹果矮化密植．北京:中国农业科技出版社,1988
[4] 汪景彦主编．果树三百题．西安:陕西科技出版社,1980
[5] 郑晓．新优苹果现代栽培．郑州:河南科技出版社,1992
[6] 洪琪琨．烟草栽培．上海:上海科技出版社,1983
[7] 马继盛编．烟草病虫害防治手册．北京:金盾出版社,2000
[8] 朱志方编．塑料棚温室种菜新技术．北京:金盾出版社,1988
[9] 高一新编．枣树高产栽培技术．北京:金盾出版社,2001
[10] 刘国顺主编．烤烟旱作高产栽培技术．北京:中国农业出版社,1988
[11] 吕增仁编．杏优质高效栽培新技术．郑州:中原农民出版社,1998
[12] 陈延惠编．石榴优质高效栽培新技术．郑州:中原农民出版社,1997
[13] 胡若冰编．红提、黑提葡萄优质栽培技术．济南:山东科技出版社,2001
[14] 李全来编．优质烤烟生产 150 问．郑州:河南科技出版社,1991
[15] 赵建阳编．大棚蔬菜栽培技术．杭州:浙江科技出版社,2000
[16] 宗学普编．柿树栽培技术．北京:金盾出版社,1997
[17] 杨先芬主编．烟草施肥技术．北京:金盾出版社,2000
[18] 蔡达荣编．李树丰产栽培．北京:金盾出版社,2000
[19] 陈静芬编．香椿栽培技术．北京:金盾出版社,2000
[20] 刘光文编．蔬菜高效增值栽培．济南:山东科技出版社,1999
[21] 王少斌主编．日光温室蔬菜栽培．北京:金盾出版社,1998
[22] 河南农业科学院主办．小麦、棉花、玉米、烟草栽培技术．郑州:河南农业科学,1991 年增刊
[23] 徐小利编．葡萄优质高产栽培技术．郑州:中原农民出版社,1996
[24] 王国新等编．桃丰产栽培技术．郑州:河南科技出版社,1997

[25] 唐微等编著 . 梨丰产栽培技术 . 郑州:河南科技出版社,1997
[26] 贾长林编 . 小棚大袋立体花菇栽培技术 . 郑州:河南科技出版社,1999
[27] 王全友主编 . 苹果病虫害防治 . 北京:金盾出版社,1992
[28] 朱国仁主编 . 塑料棚温室蔬菜病虫害防治 . 北京:金盾出版社,1993
[29] 江苏省苏州农业学校主编 . 果树栽培学总论 . 北京:农业出版社,1991
[30] 黑龙江佳木斯农业学校主编 . 果树栽培学各论 . 北京:农业出版社,1989